D1192023

LES FORGES

Cet ouvrage est publié dans la collection Mékinac, avec la collaboration de Parcs Canada, Environnement Canada, et le Centre d'édition du gouvernement du Canada, Approvisionnements et Services Canada.

Louise Trottier

LES FORGES

Historiographie
des Forges du Saint-Maurice

BORÉAL EXPRESS
en collaboration avec
PARCS CANADA

© 1980, Ministre des Approvisionnements et Services Canada.
Catalogue du gouvernement du Canada R64-102/1980F

Les Éditions du Boréal Express
Case postale 418, Station Youville, Montréal

ISBN 2-89052-015-3

Dépôt légal: 3e trimestre 1980
Bibliothèque nationale du Québec

Remerciements

Cette étude a été rendue possible grâce à l'esprit de collaboration d'une équipe de chercheurs. Je remercie donc mes collègues du projet des Forges de m'avoir aidée dans la cueillette du matériel et en particulier de m'avoir donné accès à l'infothèque, ce qui m'a permis de vérifier les sources dans les manuscrits originaux. J'ai pu enrichir sensiblement la bibliographie, lors d'un séjour aux Trois-Rivières, où l'abbé Herman Plante, conservateur aux archives du Séminaire, a généreusement mis à ma disposition plusieurs documents originaux. J'ai également eu la chance d'y rencontrer le père Fernand Porter, o.f.m., et le docteur Conrad Godin, à qui je dois des données importantes relatives à la population et au site des Forges. Toute aussi précieuse a été la collaboration du professeur René Hardy et de son groupe de recherches en histoire régionale à l'Université du Québec à Trois-Rivières, qui m'ont permis de consulter leur très riche fichier bibliographique. Mes remerciements sincères vont aussi à mon père, Jean-Luc Trottier, pour m'avoir livré de nombreuses informations sur les installations techniques et les antécédents de la fonderie familiale, et à ma tante, Maria Beaumier-Paquet, qui m'a offert des documents photographiques datant du début de ce siècle. Enfin, je ne saurais passer sous silence les efforts de mon collègue Pierre Dufour qui a su réviser fort minutieusement ce manuscrit. Je suis très reconnaissante à Lyse Gauthier-Harvey qui a assuré la transcription du texte.

Avant-propos

Le 25 mars 1730, le roi de France accordait à François Poulin de Francheville le droit d'exploiter les gisements de fer situés dans sa seigneurie de Saint-Maurice. L'obtention de ce privilège venait couronner de succès les nombreuses requêtes dont les administrateurs coloniaux avaient assailli la métropole depuis 1660 relativement à l'exploitation du minerai en Nouvelle-France. Il consacrait, en outre, la création de l'une des premières industries métallurgiques au Canada, dont les activités se poursuivront presque sans interruption jusqu'à la fin du 19e siècle.

Conscients de l'impact historique de cet événement, plus d'un auteur s'est préoccupé de retracer les principales phases de son évolution. Si l'on s'en tenait à ce seul point de vue, la production historique serait quand même fort limitée: une vingtaine d'oeuvres tout au plus pourraient faire l'objet d'une historiographie des Forges du Saint-Maurice. Mais la popularité qu'a rencontrée ce sujet dans d'autres disciplines — visible dans l'abondance de publications consacrées à la région du Saint-Maurice — justifie une conception plus large de l'historiographie. Aussi, il nous est apparu indispensable de nous intéresser à des ouvrages autres que purement historiques.

Nous avons donc dépouillé près de 200 ouvrages: monographies d'histoire locale, brochures gouvernementales, dictionnaires, articles de périodiques, etc... Nous avons pu en extraire des analyses ou des descriptions relevant tant des sciences pures et appliquées — biologie, géologie, métallurgie, technologie — que des sciences de l'homme — économique, ethnologie et sociologie. L'accumulation de ce matériel nous a permis de regrouper les thèmes majeurs sous lesquels peut être rangée l'industrie des Forges.

Alors qu'une première partie examine les oeuvres consacrées à la région du Saint-Maurice au point de vue de l'environnement physique, industriel et humain, une seconde partie se propose d'étudier celles qui concernent directement l'entreprise. Étant donné leur caractère particulier, nous avons cru bon, dans une troisième partie, de comparer les Forges à certaines communautés industrielles de même nature en France, en Grande-Bretagne et aux États-Unis.

C'est à l'intérieur de ce cadre que nous nous intéresserons à ceux qui ont écrit sur les Forges. Qui sont-ils et que font-ils? Suivant les disciplines, nous en avons distingué trois groupes. Le premier s'occupe de relater les faits historiques en empruntant des voies socio-économiques ou généalogiques. Il est représenté par des auteurs tels que Benjamin Sulte, Albert Tessier, Joseph-Noël Fauteux, Hervé Biron, Marcel Trudel, Cameron Nish ou Fred C. Wurtele. Le second groupe entrevoit les Forges par le biais d'une étude plus générale; on y rencontre Raoul Blanchard, Thomas Boucher, Napoléon Caron, Stanislas Drapeau, Dollard Dubé. Le troisième groupe s'illustre par un apport d'hommes de sciences, entre autres les géologues Jacques Béland, Ernest Pageau et David J. McDougall et les métallurgistes James H. Bartlett, Fathi Habashi et Joseph Obalski.

Une nette distinction s'impose quant à la démarche empruntée par ces auteurs. Ce n'est probablement pas un effet du hasard si une partie d'entre eux sont issus de la région des Trois-Rivières. Ils ont sans doute souhaité mettre en valeur un site qui leur était cher et, pour ce faire, ils ont voulu vulgariser leurs connaissances. Ils ont, pour la plupart, adopté une approche empirique et ils font appel tant à des sources orales qu'à des sources écrites.

D'autres auteurs, par contre, recourent à l'histoire scientifique et à ses méthodes. Leurs études sont le résultat d'une systématisation des recherches effectuées dans des dépôts d'archives, des bibliothèques ou sur le terrain. On y trouve une variété d'interprétations d'ordre politique, économique et social, ou encore des hypothèses relevant des sciences exactes et de la technologie.

Ainsi conçue, l'historiographie des Forges du Saint-Maurice offre donc un large éventail de possibilités. Il reste à découvrir jusqu'à quel point on y a scruté fidèlement l'évolution de cette industrie et son influence sur la société canadienne des 18e et 19e siècles.

Première partie
La région du Saint-Maurice

Chapitre 1
L'environnement physique

Le territoire

Ce qui caractérise le territoire du Saint-Maurice c'est son immensité. Dans ses *Études sur le développement de la colonisation* parues en 1863, Stanislas Drapeau[1] lui accorde une largeur de 144 milles. Il en fixe les limites du côté du fleuve par les comtés de Maskinongé, Saint-Maurice, Champlain et Portneuf et dans l'arrière-pays par le 50e degré de latitude nord, ce qui lui donne au total une superficie approximative de 24 140 milles carrés.

À l'intérieur de ce territoire, la vallée du Saint-Maurice proprement dite forme au 19e siècle, le principal centre d'habitation. À cette fin, la région a reçu plusieurs subventions du gouvernement notamment entre 1854 et 1862. En s'appuyant sur des rapports de commissions gouvernementales ou sur ceux d'agents de colonisation, Drapeau brosse un tableau des progrès et des lacunes existant en ce domaine par une description détaillée de chacun des comtés mentionnés précédemment. L'auteur signale d'abord les divisions cantonales dans Maskinongé (Peterborough et Hunterstown) et dans Saint-Maurice (Caxton et Chaouénigane). Ensuite, il s'attache à décrire les paroisses des régions concernées en précisant leurs limites actuelles et projetées et le nombre de terres possédées et en culture. Au moyen d'un tableau, il est possible de voir quels comtés offrent des lots à vendre et à quel prix ils sont disponibles[2].

Continuant dans le même esprit que Drapeau, Thomas Boucher rappelle, de façon pittoresque dans *Mauricie d'autrefois*[3], l'installation progressive des paroisses dans la Haute et la Basse Mauricie. La plupart d'entre elles datent du milieu du 19e siècle, entre autres Saint-Tite et Saint-Stanislas qui se sont développées simultanément sur le territoire de la Batiscanie, duquel se détacheront plus tard d'autres établissements comme Saint-Sévérin et Saint-Timothée. L'auteur note que ces lieux fixés sur la rive droite de la Batiscan ne possédaient pas de limites vers les territoires non organisés du Nord et du Nord-Est. Il souligne l'importance de l'industrie et du commerce du bois qui ont amené la formation d'autres postes en particulier celui des Grès et ceux de Saint-Mathieu et de Sainte-Flore, et ont permis, vers 1860, l'ouverture de nouvelles voies de pénétration en Haute Mauricie, comme le chemin entre les Piles et La Tuque.

Ce sont ces mêmes activités qui accéléreront le développement de la ville des Trois-Rivières située au confluent du Saint-Maurice et du Saint-Laurent. Selon Raoul Blanchard dans *Le Centre du Canada français*[4], elle fut reléguée au rang de séjour d'été temporaire et de foire à fourrures sous le Régime français et est demeurée par la suite un petit centre administratif ne connaissant aucune animation industrielle. Réduite à sa seule vie au bord du fleuve, elle ne put éviter de sombrer dans un sommeil léthargique jusqu'à la fin du 19e siècle, moment où les débuts de la navigation sur la rivière dont elle est tributaire lui donneront son plein essor.

Stanislas Drapeau fixe les limites du Saint-Maurice et en détermine les affluents: la Mataouin, la Makinak, la Bastonais, la rivière Croche et la rivière aux Rats[5]. Plusieurs versions existent quant à la toponymie du lieu. Selon les *Bribes d'Histoire* d'Armour Landry[6], le nom de Métabéroutine, signifiant

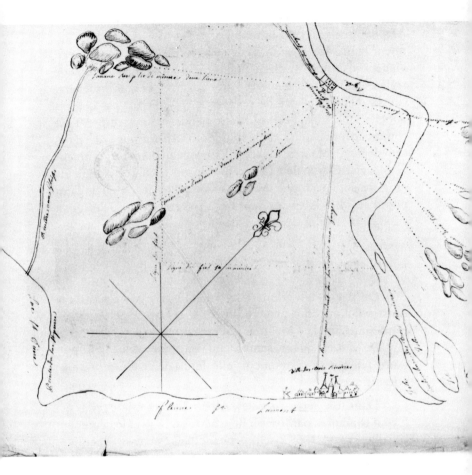

Plan de l'établissement des « Forges des Trois-Rivières » en 1735. On y remarque surtout le chemin tracé par Francheville pour relier les Forges du Saint-Maurice à la ville des Trois-Rivières, de même que la localisation des gisements de minerai de fer des marais. (Archives publiques du Canada, négatif C15782.)

« exposé à tous les vents », aurait d'abord été donné par les Algonquins; plus tard Jacques Cartier et Marc Lescarbot l'auraient baptisée Fouez ou Foix et ce terme serait demeuré en vigueur jusqu'au 18e siècle pour être alors changé en celui de rivière des Trois-Rivières. Par contre Benjamin Sulte[7] conteste l'authenticité de ces sources et ne croit pas que ces appellations aient été utilisées pendant longtemps. Tout comme le fera Landry par la suite, Sulte affirme que la désignation de Saint-Maurice fut accordée probablement en l'honneur de Maurice Poulin de La Fontaine qui, en 1668, reçut un fief le long de son parcours. Après la Conquête, les Anglais l'ont nommée « Black River », alors qu'au 19e siècle on la désignait aussi sous le nom de rivière des Cheneaux.

Le milieu naturel

De par sa situation géographique, ce vaste cours d'eau constitue donc un centre vital pour la région appelée par les contemporains la « Mauricie ». Pourtant, ce n'est qu'au début du 19e siècle qu'on semble lui accorder assez d'importance puisque, à ce moment, elle fera l'objet d'explorations scientifiques.

Dans une série d'articles, Albert Tessier relate celles qui furent conduites par Joseph Bouchette en 1828 et le lieutenant Ingall en 1829[8]. Il précise cependant que ces terres « âpres » et ces forêts denses ont déjà été « affrontées » en 1651 par le jésuite Jacques Buteux dans le but héroïque d'évangéliser les tribus qui y habitaient. Comme ce dernier ne semblait guère intéressé par les richesses matérielles, on ne retrouve dans son carnet de route aucune indication sur la géographie, la qualité du sol et du sous-sol. Et la ferveur apostolique du 17e siècle fait place, au 19e siècle, à des préoccupations plus terrestres. S'appuyant sur les rapports journaliers des explorateurs, Tessier apporte de nombreuses annotations sur la géologie, la météorologie, la qualité du sol, la faune et la flore. Il relate également leurs commentaires sur le réseau hydrographique en s'attardant sur l'allure accidentée du Saint-Maurice, visible dans les multiples chutes et rapides dont il est parsemé, et dans leur toponymie pittoresque.

Toutefois, les observations d'Ingall lui apparaissent plus scientifiques que celles de Bouchette. Il explique par la présence de roche syénétique la couleur très foncée des eaux de la rivière qui est désignée dans plusieurs cartes sous le nom de « Black River ». Des descriptions plus techniques touchent les chutes de Grand-Mère, de Shawinigan et la rivière au Rat. Ces deux expéditions se complètent donc pour résumer l'aspect physique de cette région.

Bien que situé au centre du Québec et ayant accès aux nombreuses voies de communication qui relient la ville des Trois-Rivières aux grands centres commerciaux, le territoire du Saint-Maurice est, à la fin du 19e siècle, encore peu connu. C'est ce que révèle une étude publiée par le ministère de l'Agriculture du Canada en 1887[9]. Sur une superficie d'environ 14 millions d'acres, seulement trois millions d'acres de terrain colonisable sont disponibles à cause principalement d'un relief torturé. Il serait donc utopique de vouloir établir des paroisses agricoles comme celles qui existent en bordure du fleuve. La Mauricie possède cependant une abondance de richesses naturelles: pouvoirs d'eau, forêts de conifères et d'autres bois précieux, minerai de fer, propices à un développement industriel.

Le rapport amène ensuite une description hydrologique et hydrographique de la rivière Saint-Maurice et de ses tributaires tout en soulignant les possibilités de navigation. Puis il présente les caractéristiques des principaux établissements échelonnés le long de ses rives et dans le haut de la région comme par exemple le Cap-de-la-Madeleine, Trois-Rivières, Saint-Tite, Mont-Carmel, Saint-Boniface de Shawinigan, Sainte-Flore, Saint-Jacques-des-Piles, La Tuque, etc... en spécifiant pour chacun d'eux la nature du sol, la force hydraulique, la population, les activités agricoles ou industrielles existantes et en devenir, de même que les possibilités commerciales. Pour que la contrée soit exploitée adéquatement une aide est requise de la part du gouvernement, des amis puissants de l'industrie et de la colonisation. C'est en poursuivant ce but patriotique, conclut le rapport, que le pays obtiendra certes des résultats favorables.

En s'appuyant sur cette dernière source — dont il cite de larges extraits d'ailleurs — Napoléon Caron dans *Deux voyages sur le Saint-Maurice*[10], croit également que l'union de ces « deux forces vives » — l'agriculture et l'industrie — créera des merveilles dans l'avenir de la Mauricie. Il s'oppose aux mesures gouvernementales qui maintiennent des réserves forestières lesquelles constituent un lourd obstacle à la colonisation. Il note la présence de riches pouvoirs d'eau et de minéraux, tel le fer de la montagne de l'Oiseau et le marbre de l'Ile-aux-Noix et dénonce la faiblesse des moyens de communication qui empêche une exploitation rationnelle de ces ressources.

Soit qu'elles portent la griffe d'un auteur mauricien ou qu'elles revêtent l'aspect d'une publication gouvernementale, la plupart des études précédentes, datant du 19e siècle, militent en faveur d'un développement régional intense. Mais ce n'est que près d'un siècle plus tard que ce développement est envisagé d'une manière plus scientifique. C'est l'impression qui ressort de son portrait physique esquissé dans *La Mauricie* de Raoul Blanchard[11].

L'auteur aborde en premier lieu la question du relief: la Mauricie présente l'aspect d'un grand plateau, une « pénéplaine » de formation géologique récente dont la surface est recouverte de roches dures. Il explique comment la venue des glaciers d'abord et, après leur départ, l'envahissement de la mer Champlain, sont responsables de ces modifications du sol, c'est-à-dire des terrasses formées de dépôts sablonneux et argileux qu'on retrouve sur les basses terres du Saint-Laurent.

À partir de données recueillies sur une période de 10 ans, soit de 1926 à 1935, et d'observations effectuées dans huit stations météorologiques entre Shawinigan et Joliette, l'auteur présente le caractère climatique de deux saisons: l'hiver et l'été. Il analyse la moyenne des jours froids et les variations de

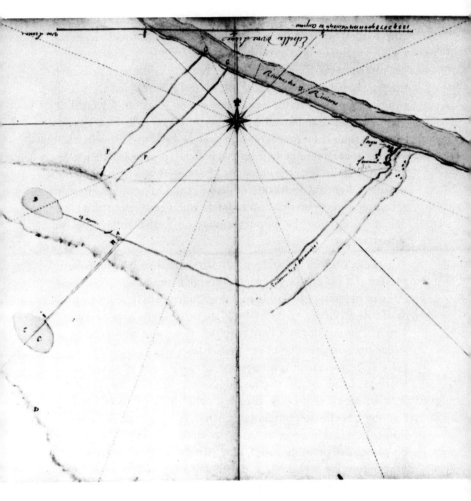

Les Forges du Saint-Maurice en 1738. Dessiné par l'arpenteur Louis Champoux,
ce plan montre les bâtiments érigés par Cugnet Compagnie entre 1736 et 1738.
(Archives publiques du Canada, négatif C54550.)

température pendant la saison chaude. Toutefois la rigueur du climat n'effraie pas les plantes car une « somptueuse végétation » s'étale. Le bois exploitable recouvre 86,4% de la superficie. Au nord du 47e degré, la forêt boréale domine et présente un paysage morne où règnent les conifères tels le sapin baumier, le pin gris, le mélèze, auxquels se joignent les feuillus comme le bouleau blanc, le peuplier et le tremble. Plus au sud, on remarque la forêt mixte; une grande variété d'espèces nouvelles apparaissent et se joignent à d'autres types de conifères — le pin blanc, le pin rouge et le cèdre — et aux bois francs: le merisier, l'érable, le frêne, le tilleul, etc... On peut qualifier de tyrannique cette occupation massive du végétal; pourtant c'est de la forêt que la population tire le maximum de sa subsistance.

Les données apportées par Blanchard se trouvent complétées par un essai hautement spécialisé paru en 1967. Ernest Pageau présente une étude pédologique qui englobe les comtés de Trois-Rivières et de Saint-Maurice[12]. Dans une première partie, l'auteur dépeint l'ensemble du territoire en décrivant sa situation, son étendue et ses principales voies de communication. Il donne ensuite un aperçu général de la géologie de la roche de fonds et analyse les dépôts superficiels qui caractérisent les deux régions naturelles, celle de la plaine du Saint-Laurent et celle du plateau laurentien. À l'instar de Blanchard, il note que la démarcation entre les dépôts de la plaine et ceux du plateau dépend du relief, des formes et de la nature stratigraphique des terrains. La plaine du Saint-Laurent se divise ainsi en trois zones: des alluvions récentes et marécageuses sur les bords du fleuve, une formation d'argile Champlain et une vaste plaine sablonneuse dans le delta du Saint-Maurice. Le plateau laurentien comprend une bordure montagneuse très découpée par la vallée de la Shawinigan. L'auteur poursuit en décrivant brièvement le réseau hydrographique des comtés étudiés.

Considérant l'influence du climat sur la formation et l'évolution des sols et des plantes, Pageau reprend l'expérience de Blanchard en dressant les conditions de température et de précipitations dans le milieu étudié. À partir de constatations recueillies dans quatre stations météorologiques correspondant aux quatre régions naturelles concernées, il établit les températures moyennes suivant des variations mensuelles. Il conclut qu'il existe peu de différence entre le climat de la plaine et celui du plateau. Parvenant aux mêmes conclusions que Blanchard, il s'en inspire pour déterminer l'influence du climat sur les différents types de végétation.

Après avoir traité des facteurs géologiques et climatiques, Pageau aborde plus spécifiquement l'étude des sols en donnant leur classification génétique suivant leur âge, leur degré d'humidité et leur teneur minérale ou végétale. Il en étudie la morphogénèse et le profil et parvient à un classement tabulaire selon la roche-mère et l'état du drainage. Suit une analyse minutieuse des sols de la plaine et du plateau, fondée sur l'influence des alluvions dans la formation de dépôts caractéristiques. L'auteur apporte enfin une évaluation comparative de ces sols en tenant compte de leur potentialité agricole. La définition et l'interprétation des différentes classes l'amènent à déterminer les facteurs responsables de la mise en valeur des terres et les régions qui offrent le plus de possibilités.

L'apport géophysique fourni par Blanchard et Pageau s'avère capital dans la poursuite des recherches sur l'environnement de cette région. Ces recherches pourraient être complétées par une étude systématique du territoire forestier au point de vue du pourcentage d'arbres qui s'y trouvent suivant les divers types de leur taille, de leur voisinage possible et du temps requis pour leur croissance. À l'instar d'Emmanuel Leroy-Ladurie, on pourrait y associer des observations touchant les transformations climatiques selon les époques, l'existence probable d'un petit âge de glace et son influence sur la modification du sol, de la faune et de la flore[13]. À toute fin pratique, ces éléments — le climat aussi bien que la composition de l'écorce terrestre — conditionnent la rareté ou l'abondance des matières premières dont l'exploitation précipite la création d'un nouvel environnement, celui de l'industrie.

Chapitre 2
L'environnement industriel et humain

Les matières premières

La colonisation a apporté les premières éclaircies, plutôt timides, dans la forêt mauricienne. Les terrains disponibles commençant à se faire rares dans les paroisses en bordure du fleuve, les habitants vont, au début du 19e siècle, se répandre le long des rivières Batiscan et Saint-Maurice. Pour tirer un revenu des arbres abattus au cours du défrichement, ils les brûlaient afin d'en extraire la potasse et la perlasse, produits qui étaient alors acheminés vers l'Angleterre. Blanchard[1] qualifie cette pratique d'économie de type extensif et note qu'on eût gagné à débiter les arbres autrement, soit en planches ou en bois de sciage.

C'est le blocus continental de Napoléon qui dès 1806 a accéléré l'exploitation du bois au pays. Tout comme l'Outaouais, la Mauricie a suscité l'intérêt de commerçants britanniques; déjà en 1829, les commissaires de l'expédition Ingall aperçurent des billots flotter sur la petite Bostonnais. Cependant Blanchard juge que, malgré tout le potentiel offert par la forêt mauricienne, la coupe des arbres demeure limitée en volume et en étendue, surtout à cause de la présence des rapides qui rendent la route du Saint-Maurice fort détestable.

C'est pourquoi une série de mesures seront adoptées par les autorités gouvernementales entre 1847 et 1851, et des subventions seront dévolues à l'aménagement de la rivière en vue de la construction d'estacades et de glissoires. À partir de 1852, on pourra exploiter systématiquement les richesses forestières de la région. L'auteur rapporte l'évolution de cette mise en valeur; la progression des chantiers organisés par des capitalistes anglais tels les Gilmour de Québec et les Baptist des Trois-Rivières, dans les paroisses autour de Shawinigan. Il dénonce la cruauté des moyens utilisés par les équipes d'abattage et les négligences qui ont soumis la forêt à un énorme gaspillage. S'inspirant de la monographie de Pierre Dupin, *Anciens chantiers du Saint-Maurice*[2], Blanchard décrit en outre les activités quotidiennes dans les camps de bûcherons.

Dès ses débuts, l'industrie forestière constitue un des plus riches revenus de la Mauricie. Dans une première partie consacrée au commerce du bois sur le Saint-Maurice, le rapport du ministère de l'Agriculture[3] en analyse l'impact économique. D'après les comptes rendus officiels des terres de la Couronne, les seuls droits de coupe peuvent atteindre un chiffre annuel de $50 000. Des informations fournies par la Chambre de Commerce des Trois-Rivières mentionnent les premières divisions territoriales — assez superficielles — effectuées en 1825 qui fixent les limites, les droits et les coûts de construction d'estacades et de glissoires. Par la suite, des compagnies américaines et britanniques ont établi une quantité de scieries aux environs de Trois-Rivières. Le rapport évalue aussi la production annuelle de billots sur le Saint-Maurice et ses affluents en soulignant que seuls les bois flottables ont favorisé le développement d'activités commerciales. Il ajoute cependant que d'autres types de bois ne sont certes pas négligeables pour le commerce, comme les épinettes rouges utilisées dans la construction des chemins de fer, le bois de chauffage et l'écorce de pruche pour les tanneries. Puis il dresse une liste des travaux entrepris pour le réaménagement de la rivière, en précise les dépenses approximatives et localise les principales estacades, leurs structures et dimensions.

On en trouve également au barrage des Grès où s'est établie la scierie de Georges Baptist en 1846. Thomas Boucher[4] rapporte quantité de détails intéressants qui touchent d'abord le fonctionnement de l'entreprise. Sur le plan de la technologie il décrit les diverses scies employées de même que les principales étapes des opérations de sciage. On peut également connaître la provenance du bois, sa qualité, son acheminement vers les marchés extérieurs et l'épuisement progressif du pin blanc.

Les richesses minérales semblent seconder la forêt dans l'occupation du territoire mauricien. La brochure du ministère de l'Agriculture[5] attribue à la rareté des explorations géologiques les informations très limitées à ce sujet, mais affirme que le fer s'y trouve en quantité considérable; on en donne les principales localisations et on décrit davantage celui qui gît dans les mines de savane[6].

D'autres types de minerai se rencontrent, comme le quartz et le feldspath de formation gneiss au nord de la Matawin, le plomb, le pyrite de cuivre et le sulfure de fer près de la rivière Trenche, le nickel et le cobalt trouvés dans des terrains syénétiques en arrière du Cap-de-la-Madeleine. On note aussi l'existence de nombreuses carrières de grès, du marbre dans la région de Saint-Tite et de la pierre à chaux dans la paroisse de Saint-Maurice. En se fondant sur les travaux de William Logan, E.Z. Massicotte — dans son « Historique de la paroisse Saint-Maurice, comté de Champlain »[7] — constate que l'huile suinte depuis la Rivière-au-Lard jusqu'au moulin à Grondin et que ces dépôts de pétrole originent probablement des grandes tourbières entre le Lac-à-la-Tortue et les Forges du Saint-Maurice. De ces mêmes tourbières provient le fer des marais utilisé dans les forges de la région des Trois-Rivières. Dans leur étude de géologie économique du Québec, S.A. Dresser et T.C. Denis[8] prétendent que ce minerai se rencontre soit sur les abords du Saint-Laurent soit dans les vallées de ses affluents, et apportent une description des gisements du Lac-à-la-Tortue fondée sur un examen de A.P. Lowen en 1890. Les auteurs analysent aussi les composantes de l'ocre qui se trouve en grande quantité dans les comtés de Saint-Maurice et de Champlain, en situant les principaux dépôts et les compagnies exploitantes.

Dans un rapport géologique paru en 1961[9], Jacques Béland présente un aperçu historique et physiographique de la région de Shawinigan et des comtés de Saint-Maurice, de Champlain et de Laviolette. Il touche également l'aspect de la tectonique, soit celui de la stratification et des plissements de terrain, ce qui le mène à préciser, dans une dernière partie s'appliquant à la géologie économique, la différenciation entre le fer de marais et de lac. Il appuie ses affirmations sur des analyses chimiques effectuées sur ces deux types de minerais notamment à partir de certains spécimens découverts dans la mine de Grondin.

Les industries régionales

La richesse du sous-sol mauricien a permis au cours du dernier siècle, l'implantation de plusieurs industries. Dans une brève rétrospective, James H. Bartlett[10] amène le sujet des forges Radnor, de celles de Batiscan et de l'Islet. Il en décrit très rapidement la localisation, les bâtiments industriels et les produits en prenant comme source les rapports de Joseph Bouchette en 1832 et ceux de la Commission géologique du Canada en 1863. Il recense promptement quelques autres industries du fer localisées au Québec, notamment à Hull, Yamaska, Grantham, Baie Saint-Paul, Rivière Moisie, Québec et Montréal de même que dans le reste du pays comme Normandale, Halifax et Pictou. Digne de mention, cet auteur offre cependant plus d'intérêt sur le plan économique par l'abondance de tableaux indiquant la consommation annuelle de fer et d'acier au Canada entre 1868 et 1885, et par sa classification des principales importations et exportations de produits

Les Forges du Saint-Maurice en 1842, vues de la rive est de la rivière
Saint-Maurice. (Aquarelle de Mary Millicent Chaplin,
Archives publiques du Canada, négatif F280.)

manufacturés: rails, objets domestiques, quincaillerie et machinerie lourde.

La production des Forges de Batiscan intéresse également Michel Bibaud. Un entrefilet de 1825 paru dans la *Bibliothèque canadienne*[11] cite Bouchette pour décrire la composition de cet établissement, les principaux bâtiments et produits. Bibaud souligne toutefois les progrès concernant la manufacture des poêles lesquels « sont moins sujets à se casser par l'effet du feu que ceux qui s'importent d'Angleterre ou d'Écosse ». L'aspect historique de ces forges est soulevé par E.Z. Massicotte[12]. Dans un court article, il relate les principales phases de son évolution sous ses deux administrations, soit depuis ses débuts en 1794 jusqu'à 1800 à 1812. En plus d'apporter une brève note biographique sur les propriétaires: Thomas Dunn, John Craigie, John Frobisher et Thomas Coffin, il mentionne quelques noms d'ouvriers dont John Slicer et Jonathan Wead, métallurgistes recrutés en Angleterre et apparemment un mouleur de la célèbre famille Michelin lequel se trouvera plus tard aux Forges du Saint-Maurice. Il livre aussi des informations sur le minerai, les bâtiments industriels, la production et attribue la décadence progressive de l'établissement au coût élevé des opérations et au problème des transports.

La mine à Grondin entre dans cette catégorie des industries éphémères. Située sur les lots 22 et 23 du 7e rang du canton de Shawinigan, elle représentait, selon Thomas Boucher[13], un des plus riches dépôts de fer de la province de Québec vers 1875. Cet auteur extrait ses sources d'un « Rapport du ministère des Mines du Gouvernement fédéral » paru en 1917, qui donne la localisation et la composition du minerai. Boucher s'appuie en outre sur l'histoire orale pour déterminer les antécédents familiaux du promoteur, Hyacinthe Grondin, auparavant employé aux Vieilles Forges à l'époque des McDougall. Il décrit les péripéties de l'entreprise, depuis les moyens publicitaires utilisés pour amasser un certain capital jusqu'à l'allumage du haut fourneau en 1877. Il essaie ensuite d'interpréter les causes de son échec qui est dû surtout « à la dureté du métal et à l'absence d'ingénieurs métallurgistes possédant les connaissances requises pour traiter le minerai ». Ce site industriel constitue presque une histoire vécue pour Thomas Boucher. Il y passe en 1905 et peut localiser les principaux vestiges, lesquels se sont perdus dans les broussailles en 1944 lorsqu'il y revient accompagné cette fois d'un groupe de botanistes.

C'est également le manque de connaissances techniques qui aurait conduit à l'abandon des forges de l'Islet en 1879. C'est du moins ce que prétend un entrefilet de W.J.A. Donald dans *The Canadian Iron and Steel Industry*[14] lorsqu'il retrace les principales étapes de l'évolution de l'entreprise depuis sa fondation en 1856.

Une littérature abondante existe sur les forges Radnor exploitées de 1854 à 1910. Quelques rétrospectives dont celles de J.E. Bellemare[15] sont extraites des journaux d'époque et des rapports gouvernementaux présentent un aperçu global du développement de l'industrie aux points de vue de sa situation, de son administration, du minerai, des produits, puis établissent les causes de sa fermeture.

Les comptes rendus d'un congrès international d'ingénieurs miniers tenu sur ces lieux mêmes en 1893, rapportent quantité de détails fort intéressants sur la marche de l'entreprise depuis sa fondation, tant sur le plan administratif que technologique. Les auteurs y justifient le choix du site et sa potentialité en matières premières: bois et minerai de marais. Ensuite, ils traitent de l'aspect technologique proprement dit, soit la fabrication du charbon de bois, et ajoutent une description quantitative et qualitative de chacune des machines utilisées dans la fonderie: structures, dimensions, fonctions, etc... Sur le plan économique, il est question des produits, du travail et de la main-d'oeuvre. Ils terminent par une analyse des difficultés qui ralentissent les opérations et la situent ainsi derrière les entreprises américaines de même envergure[16].

Un article plus récent, celui de David McDougall, paru dans *The Canadian Mining Journal* en 1971[17], retrace les phases du développement de cet établissement et les divers changements d'administration depuis 1861 qui aboutiront en 1908 à la formation de la Compagnie Canada Iron. McDougall étudie plus spécifiquement les variétés de minerai en notant la différence entre le minerai de marais et le minerai de lac, sa transformation dans un haut fourneau, la production qui en découle et souligne que les forges Radnor constituaient une des dernières industries au pays à être alimentée au charbon de bois.

La fabrication de ce combustible retient l'attention de quelques auteurs. Tandis que Prosper Cloutier relate dans son *Histoire de la paroisse de Champlain*[18], les techniques suivies dans le métier des « faiseurs de charbon de bois », Marcel Pratte[19] note qu'au 19e siècle, la production fut transférée de Saint-Étienne-des-Grès à Saint-Boniface. En outre, ils fournissent d'amples informations sur les industries domestiques: celle du lin, du sirop d'érable et le commerce des raquettes. Stanislas Drapeau[20] donne un estimé approximatif de la production du beurre, du sucre d'érable, de la laine et d'étoffes variées pour les comtés de Maskinongé, de Saint-Maurice et de Champlain en 1863; Thomas Boucher[21] parle de la potasserie de Saint-Boniface, de l'utilisation de l'écorce de bouleau dans la confection des « cassots », de celle de la pruche dans les tanneries, exploitées entre autres, à Saint-Étienne et à Sainte-Flore, du sucre d'érable, des moulins à farine et à scie combinés, situés le long des rivières Yamachiche et Shawinigan et à Saint-Jean-des-Piles, dont quelques-uns possédaient en plus des machines à carder la laine.

Les transports

Pour que la grande, tout comme la petite industrie demeurent viables, il faut que leurs produits soient acheminés vers un marché local, régional, national ou même international; elles deviennent donc extrêmement dépendantes d'un réseau de communications organisé. Thomas Boucher[22] souligne que si le Saint-Maurice avait été navigable jusqu'à La Tuque, la destinée de la Mauricie aurait été trop facile: la Pro-

Les Forges, vues de la rivière Saint-Maurice en 1842. Dessin de Joseph Bouchette
junior, montrant la Grande Maison et le complexe de la forge basse.
(Archives publiques du Canada, négatif C4356).

vidence lui a donc réservé un meilleur sort en le parsemant d'obstacles; elle a voulu ainsi aguerrir quelques générations de Blancs avant de leur livrer un accès facile jusqu'à la source au début du 20e siècle. Il dresse une liste des moyens de transport utilisés autrefois sur la rivière, depuis le canot d'écorce, en passant par les barges des draveurs dès le début de l'exploitation forestière, jusqu'aux chalands employés à transporter les chevaux et marchandises et qui, à l'occasion, étaient possiblement remontés à la cordelle. Il commente l'évolution des structures de ces deux derniers types d'embarcation et précise le genre de cargaison transportée. Des témoignages de contemporains plus âgés lui permettent de raconter quelques épisodes de la vie aventureuse de ces hommes impliqués dans l'entreprise considérable du portage: le territoire desservi, les équipes de relais et les difficultés à surmonter.

Peu à peu, la navigation sur le Saint-Maurice devient moins pénible: elle se « vaporise ». Napoléon Caron décrit copieusement le vapeur mis en circulation par la compagnie américaine Norcross & Philipp en 1856, et du *La Galisson-nière*, lancé en 1879 grâce à des subventions du gouvernement provincial, en déplorant l'échec de ces deux entreprises[23].

Le développement des voies de terre, étroitement lié à la colonisation, est accéléré à la fin du 19e siècle. Le ministère de l'Agriculture souligne en effet qu'une grande étendue de terres fertiles est toujours disponible dans la région au nord-ouest de la ville des Trois-Rivières jusque vers la vallée de la Matawin. Dans le but d'y amener des colons ou des industriels on a mis sur pied des voies ferrées. La brochure décrit donc le parcours emprunté par le chemin de fer reliant Trois-Rivières aux Piles et celui des Basses Laurentides qui relie cette ville à Québec et au Lac Saint-Jean[24].

La population

Les sources secondaires livrent très peu d'informations quantitatives sur le déplacement de la population vers ces nouvelles zones de colonisation. Bien sûr, il est fait mention fréquemment de la formation de nouvelles paroisses dans l'arrière-pays à la fin du siècle dernier, mais on connaît rarement le taux d'émigration et d'occupation du sol. Quelques historiens fournissent des données concernant plutôt les 17e et 18e siècles. Dans sa *Chronique trifluvienne*[25] Benjamin Sulte dresse une liste commentée de colons selon la date de leur arrivée aux Trois-Rivières, ceci à partir de 1634, en précisant leur lieu d'origine, leur âge, leurs métiers, le nombre de mariages et de sépultures avant 1665, et les endroits où ils se sont dispersés. Bien que l'auteur ne cite pas ses sources, cette liste mérite d'être consultée.

Dans ce même esprit, Antoine Roy[26] présente un rencensement de la ville et du gouvernement des Trois-Rivières tel qu'il a été émis à la suite d'une ordonnance d'Amherst datant du mois de septembre 1760. Il contient les noms des habitants qui y sont établis, ceux qui sont décédés ou qui se sont dirigés vers d'autres paroisses, ceci jusqu'en mars 1762. Ce sont donc deux comptes rendus de population qui sont présentés — un pour 1760 et un pour 1762 — pour cette circonscription qui englobait alors la ville et la banlieue des Trois-Rivières de même que les paroisses environnantes: de Maskinongé à Sainte-Marie sur la rive nord du fleuve et de Yamaska à Saint-Pierre-les-Becquets sur la rive sud.

Certaines études fournissent des données partielles sur la population de quelques paroisses de la Mauricie. Prosper Cloutier[27] utilise les registres de la paroisse de Champlain pour amener quelques notes éparses concernant les baptêmes et mariages au début du 18e siècle, et des données au sujet de la répartition des terres en 1738. Il cite en outre, des extraits du greffe du notaire Louis Gillet contenant les noms des occupants anciens et actuels des terres, la situation et la dimension de celles-ci pour les années 1817 à 1830. Dans sa monographie sur *La paroisse de Champlain*, Eddie Hamelin[28] expose le recensement du notaire Martineau sur la paroisse de la Visitation en 1852. Ce document assez complet renseigne sur le nombre d'habitants, l'origine ethnique, la religion, le statut social et professionnel, l'éducation, la récolte de 1851 et les industries domestiques.

Thomas Boucher[29], pour sa part, suggère, d'une façon plus originale, un exemple des activités courantes dans une communauté industrielle lorsqu'il relate certains aspects de la vie au village des Grès à l'apogée de sa prospérité soit vers 1860. Il offre une description des bâtiments industriels, des habitations, en insistant sur celles qui sont réservées aux ouvriers. Ce poste isolé dépendait uniquement de ses administrateurs pour le logement et la subsistance. On n'y trouvait ni services publics ou éducatifs et sa population, partageant ses occupations entre la ferme et la forêt recevait le missionnaire desservant les Forges du Saint-Maurice, ceci jusqu'à l'érection de la paroisse de Saint-Étienne en 1858.

Les citoyens de la Mauricie ont suscité en outre des réflexions assez imagées des voyageurs qui y ont séjourné. Albert Tessier[30] présente les extraits du reportage de Miss Faith Fenton paru dans le journal torontois *The Empire* en août 1874. Après avoir séjourné quelque temps en Haute Mauricie et aux Trois-Rivières, cette journaliste observe avec humour les moeurs et les croyances des habitants. Pourtant son style espiègle n'eut pas l'heur de plaire aux trifluviens qui ont pris ses remarques trop au sérieux. Tessier relève des descriptions pertinentes sur l'environnement naturel, et respectueuses vis-à-vis les cérémonies religieuses.

Les constatations sur le développement industriel et agricole de la vallée du Saint-Maurice prennent figure d'un vaste panorama descriptif qui — si on regarde à la loupe certaines de ses parties — peut fournir un remarquable « conversation piece ». De l'exploitation des matières premières en quantité illimitée, jaillissent des problèmes concernant les espèces animale, minérale et végétale. Dans les ouvrages analysés il en est rarement question. Et face à l'implantation de l'industrie les notes sporadiques recueillies n'en considèrent que les étapes majeures. La démarche historique ne devrait-elle pas s'appuyer aussi sur des considérations d'ordre écologique pour mesurer les retombées de l'industrialisation sur l'utilisation du territoire minier et forestier, des hommes et des bêtes, bref sur l'épuisement progressif des ressources et ses effets sur le milieu humain?

Hormis quelques recensements, la société est pratiquement absente, l'environnement humain semble réduit à sa plus simple expression. On aimerait en connaître davantage sur les migrations et les activités quotidiennes de cette population, son éducation, ses loisirs, ses croyances, sa mentalité. On souhaiterait que l'histoire de la Mauricie ne soit plus hachurée en bribes ni dispersée à tous vents mais chemine aussi aisément dans l'esprit que les billots qui franchissent les glissoires le long de la rivière Saint-Maurice.

Il reste à démontrer comment cet environnement a pu motiver quelques historiens à y détacher les faits qui ont présidé la marche d'une des premières industries sidérurgiques au Canada: celle des Forges du Saint-Maurice.

Deuxième partie

La communauté industrielle des Forges du Saint-Maurice

Chapitre 3
Vue d'ensemble

Les monographies de Benjamin Sulte et d'Albert Tessier

La littérature concernant spécifiquement l'histoire des Forges du Saint-Maurice n'est guère abondante. Peu d'historiens, reconnus tels par l'historiographie contemporaine, s'y sont consacrés; la majorité de ceux qui ont écrit sur ce sujet se recrute plutôt chez des individus obéissant à des motifs extrêmement variés venant soit de leur profession soit de leur sensibilité au patrimoine trifluvien. On y rencontre en effet des chroniqueurs, des documentalistes, des généalogistes, des ingénieurs miniers, des géologues, etc... et tous se sont préoccupés de retracer, suivant une optique et des méthodes particulières, les grandes étapes de l'évolution de cette entreprise, aux points de vue économique, politique, social et structural.

Les monographies sont rares; à vrai dire on n'en rencontre que deux: celle de Benjamin Sulte, publiée en 1920[1] et celle d'Albert Tessier, parue en 1952[2]. Ces deux auteurs s'imposent d'emblée d'abord par l'envergure qu'ils ont donnée à leur essai et par leur façon très particulière de cerner et de regrouper les événements qui ont animé la marche des Forges du Saint-Maurice.

Sulte accorde une importance assez marquée à la chronologie. Son historique débute par la présentation de la famille
Poulin à qui fut concédée une seigneurie située au nord-est des
Trois-Rivières en 1676, laquelle sera considérée aux 18e et 19e
siècles comme le site principal des Forges du Saint-Maurice. Il
retrace les grandes étapes de l'évolution de l'entreprise et termine par une liste brève des derniers propriétaires des Forges
de 1846 à 1883. Dans son ensemble, l'oeuvre fourmille de
détails touchant des thèmes aussi variés que: le territoire et
l'environnement, l'industrie elle-même aux points de vue
technologique, économique, politique et administratif, les
structures architecturales, la population et la mentalité.

Ainsi l'auteur relate les événements qui ont précédé et
suivi la concession de la seigneurie de Saint-Maurice, les transactions relatives à la délimitation et l'addition de nouveaux
fiefs tels Saint-Étienne et le Cap-de-la-Madeleine, les règlements s'appliquant à la conservation des forêts environnantes
et les discussions inhérentes à l'accroissement et à la distribution des propriétés au 19e siècle. L'importance de ce territoire
réside dans l'abondance des mines de fer qu'il recèle.

Sulte note que cette présence est signalée dès 1650, dans
les écrits de Marie de l'Incarnation et de Pierre Boucher et fait
état des nombreuses démarches des autorités coloniales à partir de 1668 quant à la mise en valeur du minerai et à l'évaluation des échantillons dirigés vers la France. Celle-ci ne réagit
pratiquement qu'en 1730 par l'octroi d'un privilège d'exploitation à François Poulin de Francheville. À ce moment, il
devient possible de poser les fondations d'une industrie.

En soulignant que celle du fer est très compliquée, Sulte
en décrit le processus: l'extraction du minerai, son coût de
manipulation, le rôle des matières premières, la fabrication du
charbon de bois, et l'applique aux Forges en précisant le type
de minerai utilisé, le fonctionnement du haut-fourneau, l'action de la force hydraulique sur les structures et bâtiments
industriels. L'époque de leur installation — et parfois leurs
dimensions — sont mentionnées de même que l'état de l'établissement en 1752 d'après les commentaires du visiteur Louis

Un pèlerinage sur le site de la Grande Maison. Assis au centre, Monseigneur Albert Tessier, l'un des historiographes des Forges du Saint-Maurice. (Collection Archives du Séminaire des Trois-Rivières.)

Franquet. D'autres descriptions d'édifices, tels la Grande Maison, la chapelle et quelques résidences habitées par des ouvriers ou des directeurs proviennent d'inventaires, comme celui d'Hertel de Rouville en septembre 1760, ou de témoignages oraux recueillis en 1860 et 1875.

En même temps qu'il décrit l'établissement de l'industrie, sur le plan technologique et structural, l'auteur en présente l'organisation administrative. Quelques chapitres consacrés à l'Ancien régime mentionnent la formation des compagnies des Forges. En ce qui concerne la première, celle de Francheville, fondée le 16 janvier 1733, les informations demeurent plutôt discrètes quant à son fonctionnement et aux causes de sa dissolution. Cependant, parmi ses membres, on remarque le nom de la veuve Thérèse de Couagne-Francheville. Sulte fait donc remonter le décès du promoteur au mois de novembre précédent. Sans ambage, il saute presque immédiatement à la mise en place de la seconde compagnie, celle de François-Étienne Cugnet, fondée le 15 mai 1736. Il rapporte les privilèges obtenus par ses membres, notamment l'addition du fief de Saint-Étienne au territoire des Forges, l'obtention de nouvelles conditions d'emprunt auprès du Trésor royal et souligne la bonne marche de l'entreprise sous sa juridiction.

Cependant, la correspondance officielle de 1740 révèle que des difficultés financières commencent à s'abattre sur cette société. L'auteur les attribue surtout à Cugnet, en stipulant que ce dernier n'en est pas entièrement responsable étant donné les structures impérialistes du gouvernement auquel il était soumis. Un relevé des comptes de la compagnie et un tableau des dettes de l'administrateur tendent à illustrer les causes de la faillite financière de 1742. C'est donc à partir de 1743 que les Forges du Saint-Maurice sont réintégrées au domaine royal et ceci jusqu'en 1760.

Sulte passe en revue les administrations successives après la conquête: celle du régime militaire sous John Bruyère et Frédérick Haldimand puis la période des premiers locataires à bail en insistant davantage sur le rôle de Christophe Pélissier et de Pierre de Sales Laterrière. Y font suite, quelques commentaires brefs sur la régie d'Alexandre Dumas et de Conrad Gugy, mais plus élaborés, en ce qui concerne les travaux de David Munro et de Matthew Bell de 1793 à 1845. Puis il énumère assez rapidement les derniers propriétaires, de 1846 à 1883, et constate la décadence progressive des Forges, manifeste depuis 1810.

Sont présentes également les répercussions de la gestion de l'entreprise au niveau du travail, de la main-d'oeuvre et de la production. À plusieurs reprises, Sulte fait état de l'engagement des ouvriers pendant la période coloniale française et livre des remarques assez intéressantes sur les premiers métiers du fer exercés par les Canadiens. Il déplore toutefois la rareté des ouvriers spécialisés puisque la plupart du temps, notamment vers 1750, les soldats et les agriculteurs sont obligés de faire double emploi. Ceci l'amène à aborder le sujet des salaires jugés peu élevés en 1754 et des conditions de travail illustrées par exemple dans certaines habitudes traditionnelles conservées par ceux qui s'affairent autour du haut-fourneau, ceci jusque vers 1850. La production de l'entreprise est établie à partir d'inventaires, notamment celui d'Hertel de Rouville en 1760 et de Matthew Bell en 1833. Les récits de voyageurs tels Peter Kalm, Louis Franquet et John Lambert apportent autant de considérations sur les caractéristiques du minerai utilisé aux Forges que sur la qualité des produits qui en sont issus.

C'est sur le plan politique toutefois que Sulte révèle davantage sa personnalité. La banqueroute de François-Étienne Cugnet lui sert de prétexte pour élaborer une critique plutôt acerbe du système colonial français. Selon lui, la France exerçait un contrôle beaucoup trop étroit sur sa colonie pour que celle-ci puisse s'épanouir économiquement. La métropole en effet favorisait uniquement le commerce des fourrures, au détriment de toute autre activité économique, puisque ce commerce lui fournissait les revenus nécessaires pour subvenir aux dépenses de l'administration de la colonie. Par ailleurs, toute tentative d'établissement d'entreprises privées était systématiquement enrayée, de crainte qu'elles n'entrent en concurrence avec celles de la métropole. Il y eut bien quelques administrateurs coloniaux avant-gardistes comme Charles de Beauharnois et Gilles Hocquart, mais le peu de latitude dont ils jouissaient les a empêchés de lancer la Nouvelle-France sur la voie d'un développement économique plus rapide. Aussi ne faut-il pas se surprendre de voir Sulte accueillir la période qui suit la Conquête avec un soupir de soulagement. À ses yeux, le régime militaire, loin d'être oppressif, se révélait plus tolérant que le régime français car William Pitt avait pour principe de ne pas inquiéter la population canadienne afin qu'elle se trouve satisfaite de la nouvelle autorité.

Sulte perçoit Christophe Pélissier comme un partisan de la volonté populaire et de l'idéal démocratique tels que prônés par le Britannique John Wilkes; Sulte considère paradoxalement que Pélissier a fourni des pièces d'artillerie aux envahisseurs américains non pas à cause de ses sympathies pour leurs idées de liberté politique mais dans le seul but de s'opposer à l'Angleterre. En face de lui, Pierre de Sales Laterrière représente la fidélité à la monarchie absolue. C'est ce qui ressort de ses *Mémoires* utilisés abondamment par l'auteur qui en conteste l'authenticité à certains égards et juge sévèrement son administration.

Celle de Matthew Bell n'échappe pas non plus à son analyse. Une occasion lui est offerte par un débat soulevé à l'Assemblée législative en 1833. Quelques hommes politiques des Trois-Rivières dont Pierre Vézina et le Docteur Kimber, reprochaient au directeur des Forges de monopoliser une grande partie des terres dans le voisinage de l'entreprise et d'empêcher ainsi la colonisation dans l'arrière-pays mauricien. Sulte croit que cette agitation n'était fondée que sur la passion politique. Dans ce contexte, Bell prenait figure de bureaucrate jouissant de privilèges contre lesquels la Chambre d'Assemblée luttait continuellement. Les fonctions du député des Trois-Rivières pouvaient se comparer à celles des membres d'un groupe oligarchique existant en Angleterre à l'époque et qui détenait les postes de la haute administration. Ce groupe était contesté par les libéraux ou « whigs ». Et au Canada, ce terme de « whigs » équivaut à celui de patriote ou réformateur; ainsi, les adversaires de Bell: le juge Vallières de Saint-Réal, Pierre Vézina et autres s'associaient par leur attitude à cette formation politique. Sulte accorde à Bell le crédit d'avoir mis quelques terrains à la disposition des habitants par des ventes aux enchères, mais juge exagérés ses propos sur leur prétendue médiocrité.

L'étude de la population, de ses antécédents et de ses déplacements constitue un autre thème cher à l'auteur. Son essai comprend de fréquentes données généalogiques, entre autres sur la famille Poulin de 1644 à 1730, sur les premières familles des Forges de 1737 à 1740, sur les actionnaires et quelques directeurs des différentes compagnies. Sur le plan statistique, l'auteur fait mention à diverses reprises des registres de la ville des Trois-Rivières ou de la chapelle des Forges, par exemple de 1746 à 1753, des recensements comme ceux de 1760 et de 1765, et des états de population notamment en 1820, 1832 et 1842.

Est présente également une étude de la mentalité. Sulte relate, sans les commenter particulièrement, les quelques ordonnances émises à l'endroit des ouvriers des Forges en 1737 de même que certains procès: celui d'Étienne Cantenet en 1745, et celui de Jacques-Philippe Dalphins (Dolfin) en 1753. En outre, des souvenirs vivaces de son enfance l'amènent à parler de la « grande vie » menée par Bell à Québec et aux Trois-Rivières, et d'apporter une image pittoresque du village et de la société au 19e siècle. Quelquefois il note le passage de missionnaires qui ont desservi le village depuis ses débuts jusque vers 1920. Tout au long de son étude, Benjamin Sulte fait intervenir ses réminiscences ou des informations recueillies auprès de certains habitants de cette communauté industrielle. Et la préface de Gérard Malchelosse nous apprend qu'effectivement, l'auteur y a vécu dans sa prime jeunesse et a commencé à la décrire dès 1869, époque où elle était encore en pleine activité. Son appartenance à la région constitue donc un motif primordial dans sa tentative de faire reconnaître, tout au moins sur le plan historique, la valeur d'une industrie en voie de disparition. « Adieu mes vieilles Forges. Je vous ai connues dans votre splendeur et je me promettais, dès lors, de vous donner place dans notre histoire. J'écris ces dernières lignes en face de vos ruines qui bientôt disparaîtront. Déjà votre souvenir n'est plus qu'une légende vague dont la prochaine génération ne saura rien. Je veux vous sauver de l'oubli, vous faire revivre dans l'âme des Canadiens qui s'attachent à l'étude des temps passés... »

Cette assertion caractérise la démarche empruntée par l'historiographie classique dont le seul but est de faire coïncider l'événement et sa narration. Lorsqu'elle atteint sa perfection, cette coïncidence se rapproche le plus près possible de la vérité historique. Et la recherche de cette vérité constitue pour l'historien la valeur idéologique par excellence, celle qui doit régir ses activités.

Pour y parvenir, il dispose de deux modes d'exploitation de la réalité: l'expérience directe de ce qu'il a vu et la connaissance médiatisée de ce qu'il a lu, et il ne peut se fier que rarement à l'un ou à l'autre de façon entière. À ce niveau se situe la problématique du choix: l'historien doit-il donner priorité à son expérience ou au document? Ici s'opère une première coupure épistémologique qui va marquer toute la structure de son ouvrage. Sulte n'invoque pas d'abord son statut d'habitant des Forges mais procède par l'utilisation de textes qui ont été écrits antérieurement. Ainsi lorsqu'il parle de l'industrie du fer, il relate certains souvenirs mais il les étaie par des citations de Kalm ou de Franquet. Donc le partage effectué entre l'observation et la connaissance est démontré dans un plan suivi rigoureusement.

La disposition de son plan relève de l'empirisme. La plupart du temps, il procède chronologiquement en dressant une liste suivie année par année des événements de 1644 à 1883 sans les analyser. L'ensemble de l'étude repose donc sur la narration anecdotique et fourmille de notes éparses dont l'incohérence risque d'agacer l'historien « fort en thèmes ». Bien qu'une bibliographie systématique soit absente — l'auteur préfère intégrer ses sources à son texte, ce qui nous incite à dire qu'il faut lire Sulte « dans le texte » — l'historiographe lui est reconnaissant d'avoir augmenté son essai d'un index et de matériel iconographique: photographies, cartes et plans. Pour avoir été vérifiées, la majorité de ses sources proviennent effectivement des grandes collections des archives fédérales, provinciales, judiciaires et de fonds privés. Cependant, il semble avoir eu en sa possession plusieurs pièces originales concernant la famille Poulin. Quoique l'auteur remette parfois en question quelques documents comme les *Mémoires* de Laterrière à plusieurs égards, l'authenticité de certains événements qu'il décrit est aujourd'hui contestée par exemple, en ce qui a trait à la date du décès de Poulin de Francheville et les débuts de la fabrication des plaques de fer aux Forges. Doivent être prises sous réserve également les données relatives à la population et quelques détails au sujet de la technologie et des structures architecturales.

Ses considérations d'ordre politique font ranger Sulte parmi les historiens libéraux de la fin du 19e siècle. Par ses jugements sur le système colonial français et la guerre de la Conquête, il s'apparente à Francis Parkman. Convaincu que la marche du progrès est une loi naturelle inévitable, Parkman utilise ce concept pour juger du passé surtout dans l'ensemble de ses écrits sur l'histoire de la Nouvelle-France. Sa thèse repose donc sur un conflit entre l'esprit éclairé d'une nation progressiste anglo-saxonne protestante et l'esprit d'obscurantisme qui animait l'absolutisme français catholique et romain. Cependant, quelques personnages comme Frontenac, ont incarné aux yeux de Parkman l'idée de progrès sous l'Ancien Régime, ce à quoi on peut rattacher l'opinion de Sulte sur Beauharnois et Hocquart « ces hommes de 1840 » qui ont vécu en 1740. Parallèlement la guerre de 1760 ne présente en rien l'allure d'une conquête mais constitue une libération contre l'emprise d'une monarchie absolue.

À toutes fins pratiques, l'étude de Benjamin Sulte sur les Forges du Saint-Maurice forme l'infra-structure des oeuvres de ce genre. En plus d'offrir à l'historiographie contemporaine une méthodologie fondée sur la recherche, l'analyse et l'interprétation de sources écrites ou orales, il lui propose une approche thématique variée soit celle des sciences et de la technologie, l'architecture, l'économique, la démographie, la culture matérielle, la vie quotidienne, etc... En fait, il trace le chemin vers l'orientation pluridisciplinaire que s'est donnée l'Histoire aujourd'hui.

D'abord publiée par tranches dans les *Cahiers des Dix* entre 1945 et 1950[3] et résumée dans les *Cahiers Reflets* de 1945[4], la monographie d'Albert Tessier, *Les Forges Saint-Maurice*[5], veut regrouper les principaux événements qui en ont marqué l'évolution depuis ses débuts en 1729 jusqu'à la cessation de ses activités en 1883. L'auteur tient à préciser que cette industrie n'est pas la première de ce genre sur le continent nord-américain et rappelle que des forges existaient déjà en Virginie, au Massachussetts et au New Jersey au 17e siècle. Replaçant l'attrait offert par l'Amérique dans le contexte de la Renaissance, il souligne que la chasse aux métaux débuta avec les premiers voyages de découvertes, mais à défaut de pierres précieuses, on se contenta de minéraux plus modestes. C'est donc un bref historique de cette recherche du minerai en Nouvelle-France que dresse Tessier dans sa première partie.

Les récits de voyage de Cartier et de Champlain lui permettent de localiser les premiers gisements de fer comme celui de l'Acadie en 1604. Toutefois l'inventaire de Pierre Boucher dressé en 1663 ne signale aucunement la présence de minerai dans la région trifluvienne. C'est avec la réorganisation administrative de la colonie en 1663 que ces recherches ont pris un aspect plus systématique. S'appuyant sur la correspondance officielle et sur des mémoires, l'auteur relate d'abord les efforts soutenus de Jean Talon en vue de découvrir du fer, du cuivre ou du charbon, les moyens d'exploitation suggérés et l'envoi fréquent d'échantillons vers la métropole. Il note les réponses partiellement intéressées de la Cour, le manque de suite à l'expédition du maître de forges, La Potardière, en 1670 et déplore le fait que Talon soit retourné en France sans avoir pu lancer la grande industrie métallurgique en Nouvelle-France.

Vue générale du village industriel des Forges du Saint-Maurice vers 1845.
(Lavis, auteur inconnu, collection Parcs Canada.)

Sont aussi rapportés les projets de Frontenac nés de son examen des gisements de fer des Trois-Rivières et ses recommandations à la Cour qui dénotent sa pensée socio-économique. Tessier attribue le désintéressement progressif de Colbert aux problèmes intérieurs de la métropole et déplore la suspension de l'oeuvre de Talon et de Frontenac sous l'administration Denonville et DeMeulle. Il s'attarde à décrire le voyage du maître de forges, Séverin Hameau, en 1687 et les vaines démarches des autorités coloniales — le gouverneur des Trois-Rivières, Antoine-Denis Raudot — à la fin du 17e et au début du 18e siècle. Il en déduit que la métropole souhaitait sans doute voir un Canadien prendre l'initiative d'une telle entreprise.

Après avoir brossé un tableau de la situation économique du Canada en 1700, l'auteur conclut à la nécessité de le pourvoir d'une usine métallurgique en soulevant les besoins qui y sont inhérents: capital, équipement, main-d'oeuvre, etc... Il consacre donc deux parties à l'établissement des Forges du Saint-Maurice et à leur évolution pendant le régime français. La requête de Poulin de Francheville appuyée par Beauharnois et Hocquart aboutit à la mise en marche des travaux dès 1732.

À ce sujet, il remarque, sans les nommer, les méthodes rudimentaires inspirées de la Nouvelle-Angleterre où avait été envoyé l'ouvrier Labrèche. Tessier mentionne l'arrêt brusque des opérations après le décès de Poulin de Francheville en novembre 1733 et les réclamations en vue d'obtenir des métallurgistes compétents, lesquelles aboutissent en 1735 à l'envoi d'un maître de forges champenois: Olivier de Vezin. Est apporté un compte rendu de son enquête qui détermine le site de la nouvelle entreprise. Au cours des années qui suivent, soit de 1736 à 1739, un second maître de forges, Jacques Simonet, et plusieurs ouvriers viennent s'ajouter à l'équipe déjà en place. Le val des Forges prend alors figure d'un vaste chantier où on ouvre des chemins, construit des murs, des fondations et une luxueuse résidence-magasin et où on choisit les emplacements des installations techniques.

L'auteur relate les problèmes relatifs à l'allumage du haut fourneau, les erreurs de Vezin dans l'évaluation de la force hydraulique et les corrections apportées à la suite de l'enquête de Gaspard Chaussegros de Léry. Avec la mise à feu réussie en 1738 coïncide le début officiel des activités. Puis il offre une vue générale de l'industrie en puisant largement dans l'inventaire d'Estèbe de 1741, lequel est étayé par des illustrations et plans originaux. Il s'agit là de la seule vision intégrale de l'ensemble des Forges du Saint-Maurice qui sera présentée au cours de cet essai. Par la suite, quelques lignes seront extraites du compte rendu d'Hertel de Rouville dans lequel ne se trouve rien de neuf. On ne remarque aucune description de cette envergure pour la période postérieure à la Conquête. En même temps qu'il replace les Forges dans leur contexte industriel, Tessier en retrace l'évolution socio-économique. Sur le plan administratif ceci équivaut, pour le régime français, à l'étude de la formation des deux compagnies, celles de Francheville et de Cugnet, l'origine de chacun des actionnaires et leur rôle dans la direction de l'entreprise, leur utilisation des deniers royaux et leur échec progressif. Fondées sur des bilans, de la correspondance et des mémoires officiels, les causes de la banqueroute de Cugnet et ses répercussions sont soigneusement analysées, tout comme les dernières années de la régie royale de 1743 à 1760.

Abordant les événements qui suivent la Conquête, l'auteur s'appuie sur les déclarations de George III et les papiers manuscrits du gouverneur Haldimand pour affirmer que « les Anglais prennent les Forges au sérieux ». Il décrit la poursuite des activités sérieusement dirigées par le gouverneur des Trois-Rivières, Ralph Burton, pendant le régime militaire de 1760 à 1764. Et il ajoute que ce gouvernement s'étant montré partisan de l'initiative privée, les Forges y sont retournées à partir de 1767. S'inspirant des journaux d'époque, de lettres et de rapports, Tessier trace un profil assez précis de la période des locataires à bail, soit de Christophe Pélissier, Pierre de Sales Laterrière, Alexandre Dumas, Conrad Gugy, Alexander Davidson, John Lees, David Munro et Matthew Bell, les fonctions des actionnaires et les nombreuses transactions et conditions de location variant de bail en bail.

Malgré quelques remarques judicieuses concernant certains directeurs — tel Pélissier et son flirt idéologique avec les Américains — peu d'informations touchent la marche des travaux pendant cette première période. Citant des extraits des *Mémoires* de Laterrière, Tessier juge qu'ils donnent probablement une idée embellie de l'industrie des Forges. Il s'attarde plus longuement sur le « règne de 50 ans » inauguré par Matthew Bell en 1793. Il fait état des rivalités provenant des propriétaires des forges de Batiscan et leur désir d'annexer celles du Saint-Maurice, l'opposition de Bell et ses nombreuses négociations à chacun des renouvellements de son bail, ceci jusqu'en 1845. Puis il rend compte assez rapidement de la gestion des propriétaires à partir de 1846. Dans ce contexte sont abordées les actions de Henry Stuart et John Porter relativement à la vente de fiefs, leur faillite en 1861 et la remise sur pied de l'entreprise par les McDougall. Sous leur direction habile, elle a prospéré pendant quelques années mais a commencé à péricliter en 1872 à cause d'une crise économique, ce qui a précipité sa fermeture en 1883.

Pour Tessier, la production du premier fer canadien remonte à 1732, lorsque, dans la colonie, on commença à fabriquer de menus articles comme des clous à cheval. Mais il ne spécifie pas si ces objets provenaient des Forges du Saint-Maurice. Après avoir fourni quelques chiffres de production — jugée assez basse au demeurant — sous la gestion des premières compagnies financières, il note les bénéfices substantiels réalisés pendant les années de la régie royale lesquels vont s'accentuant dès les débuts du régime anglais. Quelques statistiques sont apportées pour les années 1761-1768 — quoique certains chiffres doivent être pris sous caution — de même qu'en 1833 suivant un inventaire de Matthew Bell.

L'auteur dresse assez régulièrement une liste des principaux produits fabriqués aux Forges depuis 1738. Au début, la production est limitée strictement au fer en barres mais peu à peu sont ajoutés des outils, des objets domestiques et des

La cheminée de la forge basse et la Grande Maison vers 1882. (Dessin de Lucius O'Brien, publié dans *Picturesque Canada*, Toronto, 1882, vol. 1, p. 96.)

pièces d'artillerie. Toutefois, il souligne que certains de ces
produits sont jugés de mauvaise qualité, notamment en 1746.
Il attribue aux efforts énergiques des premiers dirigeants britanniques la création de nouveaux modèles de poêles au cours
de l'année 1763. S'appuyant sur le *Journal de l'invasion du
Canada* du notaire Badeaux, il relate le trafic de fer en barres et
de pièces d'artilleries entre Pélissier et les Américains. En ce
qui concerne le monde des travailleurs, Tessier lui reconnaît
un rôle primordial. Il mentionne fréquemment l'engagement
d'ouvriers sous le régime français, leur origine et les métiers
exercés. Quelques mémoires et ordonnances lui fournissent
des données au sujet des salaires et des conditions de travail.
Soulignant le fait que la communauté industrielle des Forges
constitue un environnement particulier, il rapporte à quelques
reprises l'insubordination et l'indiscipline de ses habitants. En
outre il dénote une carence au niveau de la main-d'oeuvre spécialisée qui semble se résorber sous l'administration britannique alors que le recrutement provient de différents groupes
ethniques.

L'évolution politique des Forges du Saint-Maurice constitue un des thèmes majeurs exploités par Tessier. Après avoir
exposé les sollicitations adressées à la cour de France par les
autorités coloniales et ses réponses évasives, il reconnaît l'au-
dace de Poulin de Francheville qui engage sa modeste fortune
dans une sorte d'aventure industrielle dont il ne peut prévoir
ni la fin ni les moyens et ce, en jouant cavalier seul. Cependant,
il ajoute que le manque de fonds le forcera de s'adjoindre ultérieurement des associés. C'est ce cheminement que retrace
Tessier: le passage d'une initiative privée à une société de gestion, l'implication progressive et inconditionnelle des administrateurs coloniaux et finalement la régie d'État après
l'échec des compagnies. Les documents cités révèlent une
métropole extrêmement paternaliste et manifestement désin-
téressée, malgré ses conceptions mercantilistes; il serait
curieux de compiler le nombre d'occasions citées où Beauharnois et Hocquart se font passer un savon par Maurepas... et ne
manquent pas de le transmettre à leurs subordonnés. Tessier

réussit pratiquement à convaincre ses lecteurs que les Forges ne tournaient pas rond sous le régime français.

Et malgré leur état pitoyable au temps de la Conquête, elles ont retenu l'attention des Britanniques qui ont accéléré leur remise sur pied. L'auteur invoque les négociations entre la France et l'Angleterre après la guerre de Sept Ans au sujet du partage des richesses coloniales et l'avantage que représentait le Canada sur la Guadeloupe.

De la période des locataires à bail, on retient des commentaires épicés sur le « long règne » de Matthew Bell, de 1793 à 1845. Tessier semble s'être réfugié dans les journaux de la Chambre d'Assemblée du Bas-Canada et dans les papiers du Conseil exécutif pour étudier toutes les polémiques qui ont illustré cette période. Après avoir brossé un tableau des qualités exceptionnelles de cet Écossais, il tente d'expliquer par son appartenance au Conseil législatif le succès rencontré au cours des négociations qui l'ont maintenu à la direction des Forges pendant plus d'un demi-siècle et le cheminement vers la création d'un monopole territorial dans la région des Trois-Rivières. Ce grand seigneur menait une vie extravagante et ruineuse qui lui assurait un prestige auprès des grands et de puissantes protections. Face à lui se hérissent la population et ses représentants trifluviens frustrés de ne pouvoir s'établir où bon leur semble dans l'arrière-pays. Tessier a su retracer fidèlement les griefs et constatations contre le joug de l'empire métallurgique de Bell. Il les situe dans le contexte d'une poussée d'exaspération « nationale » à l'origine de la crise politique qui a secoué le Bas-Canada en 1830. Il commente enfin la victoire des « anti-Trustards » favorisée par une requête du Conseil exécutif en 1845. À l'instar de Sulte, il constate sans doute la passion politique qui animait ces débats mais voit plus loin l'affirmation d'un peuple qui se sent dépossédé de ses droits.

Et cette idée redondante à travers son oeuvre en fournit le stimulus majeur. Conscient que l'évolution d'un pays se mesure au jeu des facteurs économiques, Tessier juge que leur importance historique fut masquée au profit d'événements plus panachés comme les gestes héroïques d'élites politiques ou militaires. Le grand défaut de l'histoire populaire — ici dans le sens de traditionnelle — est d'avoir surévalué les actes d'éclat et négligé la vie quotidienne. Il se propose donc de rétablir le sens de l'équilibre en présentant les actions plus humbles et plus discrètes de ceux qui ont participé à la mise en valeur de l'environnement canadien au 18e siècle et veut tout spécialement retracer les efforts, la réussite et les fautes de ces hommes courageux qui ont rétabli dans la Mauricie une des premières industries en Amérique du Nord.

Pour y parvenir, il donne à son récit une structure événementielle illustrée dans un plan méticuleusement établi. Et tellement suivi, qu'on se demande pourquoi il n'a pas consacré un seul chapitre à la période couvrant la direction de Matthew Bell étant donné toute l'ampleur qu'il lui accorde. À proprement parler, on ne saurait qualifier d'empirique l'oeuvre de Tessier. L'utilisation des sources primaires et secondaires — soigneusement identifiées à l'intérieur du texte et dans les annexes — de photographies, de cartes et de plans originaux lui confère un caractère scientifique.

Peut-être n'a-t-il rien d'inédit à révéler aux historiens professionnels mais ceux-ci lui seront certes redevables d'avoir regroupé la documentation dont il disposait d'une manière ordonnée, cohérente et lisible, d'avoir usé de clarté et de simplicité dans son vocabulaire et dans la disposition de ses chapitres et de les avoir informés au sujet de documents originaux relatifs à la période 1760-1764, bref d'avoir apporté une contribution essentielle dans l'étude des Forges du Saint-Maurice.

Par ses jugements très personnels au sujet des événements qu'il soumet à ses lecteurs, Tessier peut être intégré sans peine dans les divers courants de l'historiographie québécoise contemporaine. Lorsqu'il résume la situation des Forges à la fin du régime français, il affirme qu'on avait dépensé beaucoup d'énergie et beaucoup d'argent pour conquérir le sous-sol trifluvien, ceci sans parvenir à un succès complet à cause des tâtonnements, des demi-mesures, de l'absence d'idées claires et du manque de main-d'oeuvre qualifiée. Et il ajoute que « l'histoire française des Forges, plus encore que celle du Canada, se termine sans splendeur pour la mère patrie ». Ne décèle-t-on pas là l'essence des idées nationalistes antérieurement exprimées par le chanoine Groulx?

Pourtant Tessier se défend d'être un historien et entend demeurer un modeste vulgarisateur s'adressant au grand public. Simplement il définit ainsi sa conception de l'Histoire: « C'est la masse anonyme qui, en définitive, bâtit un peuple, humanise une terre, dompte et discipline les forces que la Nature offre, ou oppose, aux initiatives. L'Histoire est faite surtout d'actions communes, répétées généreusement à des millions d'exemplaires[6]... »

Dans quelle catégorie peut-on ranger aujourd'hui un historien qui veut sensibiliser ses concitoyens à leur patrimoine par le biais d'une étude sociale et économique, et qui aborde des sujets aussi actuels et aussi brûlants que l'établissement d'une industrie illustrant le jeu des forces de production: capital, travail, main-d'oeuvre, marchés, salaires et ses répercussions sur la vie et la mentalité des travailleurs?

Les rétrospectives

Environ une vingtaine d'articles écrits entre 1880 et 1920 et plus récemment autour des années 1955-1965, proposent une vision rétrospective de l'industrie des Forges du Saint-Maurice. Leur cheminement consiste dans la relation de l'ensemble des explorations et découvertes du minerai en Nouvelle-France, où sont spécifiées parfois la localisation, la quantité et la qualité des ressources naturelles, les sollicitations répétées des autorités coloniales à la métropole quant à leur mise en valeur. Les résultats de ces requêtes, soit l'accord d'un privilège à Poulin de Francheville et les débuts de l'industrie sous le régime français, sont ensuite abordés. On décrit la formation des différentes compagnies, leur mode de subvention, leur fonctionnement pénible et leurs faillites respectives.

Quelques-unes se limitent à cette période et par ailleurs, très peu d'informations sont apportées en ce qui a trait au régime militaire. Par contre on se reprend en fournissant des détails abondants sur l'administration des locataires à bail en insistant sur leurs transactions, sur les intrigues de Christophe Pélissier et les activités sociales conduites sous Matthew Bell. On développe à peine la période des propriétaires si ce n'est pour mentionner leurs déboires et on attribue généralement la fermeture de l'entreprise à l'épuisement des matières premières. Certains articles touchent légèrement l'aspect technologique et structural, tandis que d'autres résument les conditions économiques au niveau de la production, des produits, du travail et de la main-d'oeuvre.

À l'intérieur de cette grille, il est impossible de dégager des manoeuvres constantes dans le traitement de l'événement. Quelques articles demeurent au stade d'une esquisse chronologique tels ceux de J.E. Bellemare[7], du Père Lejeune[8], de James Swank[9], de Pierre-Georges Roy[10] et celui de Valois de Valoisville[11], ne couvrant que la période du régime français. Une partie des faits mentionnés doit être prise sous toute réserve.

On décèle quelques variantes en ce qui touche la présence du minerai en Nouvelle-France. La plupart des auteurs situent en l'année 1667 sa découverte dans la région trifluvienne. Quoiqu'une certaine confusion existe chez James H. Bartlett[12] et B.F. Townsley[13] quant aux explorations des maîtres de forges, La Tesserie et La Potardière, W.J.A. Donald[14] et Geo.-H. Macaulay[15] apportent un élément original en affirmant que les gisements de fer du Saint-Maurice étaient probablement connus des Indiens avant cette période. D'autres abordent l'évolution de l'entreprise sur le plan technologique: James H. Bartlett[16] et Desmond Killikelly[17] mentionnent la construction probable d'une première forge en 1730, tandis que Hervé Biron[18] apporte des détails assez originaux sur l'ensemble des installations techniques. Il précise que les bases, le fonctionnement et les usages de l'industrie furent solidement établis dès ses débuts et restèrent les mêmes jusqu'à la cessation des activités.

L'heure de la coulée à l'intérieur de la halle du haut fourneau. (Dessin de Lucius
O'Brien, publié dans *Picturesque Canada*, Toronto, 1882, vol. 1.)

Il fournit en outre quelques éléments au niveau des chiffres de production, des principaux produits — en expliquant parfois leur mode de fabrication — de la main-d'oeuvre, des conditions de travail et sur l'aspect quantitatif de la population ouvrière. Ces données sont complétées par un très bref article de Michel Gaumond[19] décrivant surtout les structures de bâtiments comme la chapelle et la Grande Maison. Par contre on ne saurait trop prendre au sérieux les descriptions de l'établissement au 19e siècle telles que présentées par Michel Bibaud[20], Georges M. Grant[21] et Sidney L. Irving[22]. Consciemment ou non, ces auteurs en ont brossé une image tantôt floue, tantôt erronée ou romancée qui relève plutôt de la fantaisie. De la même façon on ne pourrait taxer d'originalité les quelques pages consacrées aux Forges par Yvon Thériault[23] et celles qu'on retrouve dans un mémoire de la Chambre de commerce des Trois-Rivières[24]. En rapportant les faits majeurs de l'évolution de l'industrie à tous les points de vue: économique, politique, social, structural et technologique, ces études ne constituaient qu'un résumé réchauffé des idées antérieurement élaborées par Albert Tessier.

À l'époque où elles étaient encore en pleine activité et quelques années après leur fermeture, les Forges ont retenu l'intérêt de certains écrivains anglophones. À l'instar de Benjamin Sulte, George H. Macaulay[25] et Fred C. Wurtele[26] ont apporté une description de leur évolution surtout au point de vue politique, ceci en s'inspirant de documents originaux. En ce qui concerne le régime français, ils considèrent comme seules sources valables quelques lettres de Frontenac et de Denonville au « gouvernement impérial » entre 1672 et 1686 et le récit du voyage de Louis Franquet en 1752. Alors que Macaulay ne note aucun effort particulier de la part des autorités britanniques en vue de remettre l'entreprise à flot après la Conquête jusqu'à 1767, Wurtele prouve le contraire à l'aide des papiers Haldimand. Tous les deux décrivent amplement les changements administratifs ayant eu cours à la fin du 18e siècle et au début du 19e siècle — en s'inspirant surtout des

Mémoires de Pierre de Sales Laterrière — et insistent sur la période de Matthew Bell.

Possédant plusieurs affinités, tant sur le plan de la documentation que sur celui de leur interprétation et des quelques erreurs commises, ces études méritent tout de même notre considération parce que leurs auteurs sont des pionniers dans leur genre. Leur façon de conduire le récit événementiel inspirera dans une période immédiate des auteurs comme James H. Bartlett[27], l'abbé Napoléon Caron[28], William J. Donald[29], et dans les années d'après-guerre, un extrait anonyme de la revue *Iron and Steel of Canada*[30].

Un article de R.C. Rowe paru en 1934[31] soulève l'intérêt. Non pas tellement parce qu'il offre, à la suite des auteurs précédemment cités, une vue panoramique de l'entreprise des Forges, mais plutôt parce qu'il propose une vision très personnelle de son fonctionnement. En décrivant d'abord le type de minerai disponible, il explique comment les différentes opérations reliées à sa récupération et à sa transformation en produits finis suivent les grands courants de l'industrie moderne.

De l'avis de cet auteur, les Forges auraient eu un impact significatif sur l'évolution économique et politique du Canada. Après avoir souligné l'importance de la production d'objets utilitaires, sous le régime français, il montre l'enjeu que les Forges ont pu représenter lors des négociations entre la France et l'Angleterre après la Conquête. Si les Britanniques préférèrent le Canada à la Guadeloupe, ce fut sans doute aussi en considération des richesses minérales qu'on pouvait y trouver. Par la suite, des administrateurs éclairés, tels Burton et Haldimand, réussirent à rétablir la marche de l'entreprise et à lui insuffler le dynamisme qui l'animera au 19e siècle.

L'histoire des forges inspire à ce même auteur des réflexions nostalgiques sur la situation de l'industrie sidérurgique canadienne du début des années 1930. La production du fer subissait un net recul au Canada, et la conjoncture économique internationale ne permettait pas d'espérer que l'on puisse

faire renaître dans cette industrie l'activité fébrile qui caractérisait jadis les Forges.

Les réflexions de Rowe peuvent donc servir de transition
entre une vision traditionnelle de l'évolution de l'établissement des Forges du Saint-Maurice et les courants de l'historiographie contemporaine qui tenteront d'analyser ce sujet sous
des angles très spécialisés. Déjà, sa conception de l'Histoire
pose un premier jalon: « As a general rule history concerns
itself mostly about affairs of government and conquest, and
rarely about the more prosaic matters of industry. This is pro-
bably as it should be, but, on the other hand, industrial history
contains many a fascinating story that is worth the telling... »
Est-ce qu'on ne décèle pas là des thèmes qui seront ultérieurement développés par Tessier et consorts?

Les monographies de Benjamin Sulte et d'Albert Tessier
et les vues panoramiques exposées par leurs prédécesseurs et
disciples nouent la trame du récit événementiel. Tous nous
livrent, de façon élaborée ou succincte, un épisode de plus de
150 ans d'histoire canadienne — ce qui fait poids dans un pays
à peine âgé de trois siècles et demi. Les malins diraient qu'il
s'agit là d'un roman-fleuve, ou mieux encore, d'un télé-
roman... Tous font usage, à peu de différence près, d'une grille-
type dans laquelle s'intègrent aisément des interprétations
similaires. Justement cette similitude n'est-elle pas rendue
possible par une abondante documentation sur le régime français, laquelle s'estompe progressivement pour devenir in-
croyablement discrète pendant la période qui suit la Conquête.
C'est là que réside toute la contradiction de l'historiographie
des Forges du Saint-Maurice: leur « âge d'or » au 19e siècle
coïncide avec une absence remarquable de sources pertinentes.
En fait l'ensemble de ce matériel comporte un double avantage: celui de recéler des informations précieuses en même
temps que celui d'être contestable. Et ces deux facteurs s'avèrent complémentaires dans la stimulation de la recherche historique; à toutes fins pratiques, il est impossible de se fier
totalement à l'un ou à l'autre de ces écrits parce qu'ils renfer-
ment un pourcentage confortable d'inexactitudes. Par contre,

la démarche que la majorité d'entre eux empruntent — jugée empirique surtout dans l'organisation de la documentation — doit servir de modèle à l'historien qui, par le fait même, sera incité à retourner aux sources premières et pourra en extraire une synthèse originale. De cette dialectique jaillit une série de faits qui seront regroupés thématiquement suivant une méthodologie appropriée. À l'observation linéaire caractéristique de la relation circonstanciée succédera l'analyse modulaire déterminant la spécialisation.

Chapitre 4
Le milieu industriel

Le régime français

Autant on trouve une production appréciable de rétrospectives donnant une vue très générale des Forges du Saint-Maurice, autant les études spécialisées qui y sont reliées se comptent sur les doigts. Nous en avons retenu sept, publiées entre 1927 et 1975, qui s'attachent à décrire l'industrie elle-même aux points de vue économique, politique, social, structural et technologique. Cinq d'entre elles abordent plus précisément la période du régime français, alors que les deux autres s'intéressent surtout au régime anglais. Comme elles ont été réunies par thèmes, on s'aperçoit que l'aspect économique domine, étant présent dans les oeuvres récentes de Cameron Nish, de H.C. Pentland et dans celle, plus ancienne, de Joseph-Noël Fauteux.

Dans son *Essai sur l'Industrie au Canada sous le Régime français* paru en 1927[1], ce professeur à l'École des Sciences sociales de l'Université de Montréal consacre un chapitre à l'industrie des Forges du Saint-Maurice. Au tout début il signale au lecteur qu'il a consulté avec fruit le volume de Benjamin Sulte, et il est loisible de constater par la suite l'abondante utilisation de sources manuscrites et imprimées provenant des archives canadiennes et québécoises.

L'auteur nous plonge immédiatement dans le milieu industriel du début du 18e siècle en présentant la requête de Poulin de Francheville et le privilège accordé par les autorités royales. Il mentionne ensuite le stage d'étude effectué par l'ouvrier Labrèche en Nouvelle-Angleterre, et ses suites, c'est-à-dire la construction d'une première forge en 1732. Après en avoir décrit le fonctionnement, il note les lacunes existant par exemple dans ses structures et dans la fonte du minerai et en déduit ainsi le faible rendement.

Des démarches subséquentes sont entreprises lors de l'engagement du maître de forges, Olivier de Vezin, en 1735, et son enquête fournit les principales justifications du choix du site des Forges en 1736. À ce moment on prévoit la construction d'installations techniques et en 1737, les projets de l'intendant Hocquart, assez optimistes, visent à amener l'établissement à sa perfection. L'auteur explique également les difficultés reliées à la mise en marche du haut fourneau qui empêchent toute activité jusqu'au moment où l'allumage est réussi en 1738. Puis il note les erreurs de Vezin sur l'emploi de l'eau comme force motrice et commente la construction des premiers bâtiments industriels et résidentiels en 1739.

À la mise en place des structures industrielles, sont reliées des considérations d'ordre économique. Fauteux apporte des données intéressantes sur le coût des installations et sur les chiffres de production — par exemple celle de la forge de Francheville — et pour les années 1737 à 1748 et 1750 en soulignant les profits et pertes. Il analyse la quantité et la qualité des produits, la réglementation de leurs prix et relie leur fabrication aux besoins de la colonie et de la métropole. Il complète cette recension par des remarques très pertinentes sur la main-d'oeuvre, c'est-à-dire, les procédures de recrutement des ouvriers en France, les répercussions de ces engagements, la formation de certains d'entre eux en Nouvelle-Angleterre et le mode de distribution des salaires. Quoiqu'il note à l'occasion l'importance de certains métiers, règle générale, il dénonce la rareté des spécialistes, l'incompétence et l'indiscipline des travailleurs, ce à quoi il attribue une partie du mauvais fonctionnement des Forges à cette époque.

L'autre partie est sans doute imputable à l'administration. Fauteux dresse un bilan fort détaillé des activités des deux compagnies sous l'aspect de leur constitution, les droits et obligations des actionnaires, leur répartition des subsides royaux, leurs dettes et leur échec. À ce contexte il rattache les problèmes financiers de Cugnet en tentant de dégager ses implications personnelles, et celles des autorités coloniales. En plus de souligner le marasme ayant existé après la mort de Poulin de Francheville, il déplore à quelques reprises l'attrait du pouvoir et du luxe qui a guidé certains membres tels Cugnet et Vezin vers des extravagances. Parallèlement il donne une idée assez précise du rôle de la métropole à cet égard en citant les nombreux avertissements envoyés aux administrateurs. S'inspirant du mémoire de Franquet, il croit à l'existence d'abus pendant la régie royale et laisse entendre que la métropole aurait souhaité voir l'entreprise aux mains de particuliers qui l'auraient sans doute conduite à un plein succès.

On doit à Joseph-Noël Fauteux une présentation sérieuse des principaux faits qui ont jalonné l'industrie naissante des Forges du Saint-Maurice. Articulé par une documentation adéquate et bien disposée, son essai ne souffre pas d'être opprimé par la structure événementielle qui en constitue le fondement. En analysant toute leur portée, l'auteur en vient à dépasser les événements et ajoute une dimension politico-socio-économique aux études publiées jusqu'alors. En ce sens il fera école. En posant la base d'une histoire industrielle, Fauteux recrutera des adhérents qui reproduiront une maigre copie de sa thèse, comme c'est le cas de Gérard Filteau[2], ou qui, à l'instar de Cameron Nish et de Marcel Trudel, lui apporteront une nouvelle orientation.

Depuis 1965, Cameron Nish avait soumis aux lecteurs susceptibles d'être intéressés à l'histoire économique du Canada une série de documents originaux touchant surtout les actions financières du Sieur François-Étienne Cugnet[3]. En

1975 il reprend cette masse d'informations pour l'intégrer dans une oeuvre d'envergure consacrée aux entreprises de Cugnet en Nouvelle-France[4].

L'auteur emprunte le cadre d'une étude de l'entrepreneurship, c'est-à-dire qu'il veut démontrer — suivant les tendances actuelles de la « Business History » et les théories de ses penseurs tels Cole et Evans — les activités de son personnage dans les milieux d'affaires coloniaux du 18e siècle. Une première partie retrace donc les antécédants familiaux de Cugnet et les débuts de sa carrière publique comme administrateur et conseiller. Les quatre chapitres qui suivent relatent son rôle dans les compagnies des Forges du Saint-Maurice dont il était actionnaire. Finalement il est question de ses autres occupations économiques reliées à la ferme de Tadoussac, et de sa succession.

En ce qui a trait à l'histoire événementielle des Forges, Nish se conforme à la grille déjà établie: expéditions du 17e siècle en vue de la découverte du minerai, la requête de Poulin de Francheville et les débuts pénibles de l'industrie, la formation des compagnies et leur échec, et en dernier lieu la régie d'État. C'est davantage au niveau de l'interprétation des faits que des éléments nouveaux surgissent.

Sur le plan technologique l'auteur apporte des détails sur la construction et les dimensions des divers bâtiments: les premières forges et une habitation pour les ouvriers en 1733. Il dresse un tableau des installations techniques et leur coût d'établissement tels qu'établis par l'enquête de Vezin en 1735, en rapporte les défectuosités de même que celles qui sont reliées au pouvoir hydraulique, et donne une évaluation de l'ensemble en 1740. Il est intéressant d'apprendre que la forge de Francheville s'apparentait à une « *bloomery* »[5] alors en usage en Nouvelle-Angleterre. Si c'est vraiment le cas, à quoi correspondait « le bâtiment des forges » en 1733 et par quel procédé a-t-on pu obtenir de la fonte cette même année?

Nish semble davantage préoccupé par le point de vue économique et administratif. Analysant d'abord la conjoncture

La Grande Maison peu après son abandon vers 1895.
(Aquarelle de H.C. Stuart, Collection Allan McDougall.)

mercantiliste qui a permis à la métropole d'accéder à la requête de Poulin de Francheville, il décrit la formation des compagnies des Forges. À partir des privilèges octroyés, il établit une distinction entre elles: celle de Francheville se classe comme « société générale », alors que celle de Cugnet est entièrement subventionnée par l'État et diffère suivant les droits et obligations des actionnaires.

Il aborde de façon élaborée le fonctionnement de Cugnet et Cie, sa réorganisation et la situation tendue qui prévaut entre ses membres dès 1739. Un mémoire de Cugnet lui permet de dresser des statistiques relatives aux comptes des associés, de même qu'aux recettes et dépenses de la compagnie entre 1735 et 1739. Et ces données mènent à une explication très détaillée de la banqueroute de l'administrateur en 1741-1742. On retient quelques tableaux illustrant la part réclamée par ses créanciers et ses propres réclamations, l'analyse de ses biens et de sa fortune en 1742. Est précisée en outre l'influence de l'intendant Hocquart lors des multiples procès auxquels il fut astreint par la suite.

Parallèlement à l'évolution financière de l'administrateur, se situe celle des Forges. Elle est cernée dans une série de données tabulaires illustrant la production globale entre les années 1739 et 1741, le produit, la vente et la fabrication des fers de 1741 à 1743, la description et le total de ceux qui furent utilisés dans la construction navale. À ces tableaux — jugés éloquents en eux-mêmes parce que très brièvement commentés — s'ajoutent parfois quelques notes intéressantes concernant la production hebdomadaire compte tenu des jours ouvrables, les marchés locaux et internationaux et le chiffre global de la production entre 1738 et 1743.

À ceci s'ajoutent des commentaires au sujet de la main-d'oeuvre: conditions de recrutement, pénurie de compétences, séjours de perfectionnement à l'étranger, insubordination. Ces commentaires sont étayés par des informations numériques concernant les gages des ouvriers suivant leurs métiers ou tâches et les allocations qui leur étaient versées dans les années 1741-1742. Comme la plupart d'entre eux ne travaillaient qu'à temps partiel, l'auteur précise qu'ils étaient tirés des « peuplades » des environs des Trois-Rivières. Avec une pointe d'humour, on risque de se demander si les directeurs n'avaient pas conscrit également des Têtes-de-Boule ou des Abénakis...

Un chapitre dévolu à la vie plus personnelle de Cugnet mérite d'être retenu. On est redevable à Nish d'avoir inventorié la maison et la bibliothèque de l'entrepreneur. La bibliothèque révèle un homme exceptionnellement cultivé, mais on est surpris d'y trouver très peu d'ouvrages de sciences pures et appliquées. Comment expliquer qu'un directeur de forges ne possède pratiquement pas d'ouvrages concernant la technologie ou la métallurgie à une époque où se préparait la révolution industrielle? En ce qui concerne sa résidence, un effort louable a été fait pour en dégager la configuration et décrire l'ameublement. Sur le plan structural cependant, l'auteur aurait eu intérêt à la comparer à celle d'un marchand du 18e siècle — Guillaume Estèbe — située dans son voisinage immédiat[6].

Quant à sa présentation matérielle, le livre de Nish suscite quelques questions par exemple en ce qui a trait à l'agencement de son plan. On se demande comment justifier l'intégration de l'introduction et du premier chapitre alors qu'on trouve dans la conclusion des éléments qui auraient dû être soulevés dans une introduction autonome. De la même façon, les titres des chapitres III et IV ne correspondent pas exactement à leur contenu. Comment peut-on parler des premières compagnies des Forges de 1541 à 1737 et de Cugnet et compagnie de 1735 à 1737, alors qu'entre 1541 et 1730, il s'agit plutôt de projets d'établissement[7], la compagnie Francheville et celle de Cugnet ayant été constituées légalement en 1733 et en 1737. Malgré tout, une impression favorable se dégage de la bibliographie assez dense, des nombreuses cartes et illustrations. Par contre les photographies originales du site des Forges en 1970 expriment assez vaguement les détails qu'elles ont l'intention de représenter. Mais on lui doit probablement beaucoup d'efforts et de patience pour avoir réussi à schématiser les documents de la Série C^{11}A afin de les rendre plus accessibles et appropriés à un essai d'histoire économique.

En ce sens, le volume de Nish offre une certaine originalité. La thèse de l'entrepreneurship appliquée à Cugnet est défendable si elle est soutenue par des données réalistes et incontestables en ce qui touche par exemple ses dettes et ses revenus et ceux de l'entreprise dont il était en partie responsable. Si sa banqueroute est le résultat d'un processus normal dans l'évolution d'une société sous-développée et ne correspond pas nécessairement à celle des Forges du Saint-Maurice, Cugnet représenterait-il donc cette bourgeoisie décapitée avant la Conquête par les failles du système colonial français? On a beaucoup insisté sur son importance au sein de l'administration des Forges à cause de sa fortune personnelle, et partant, des nombreux procès dont il fut affligé. Que dire de ses associés? Ils ne semblaient pas vivre exactement dans la misère, ce qui sous-entend qu'ils ont pu être impliqués dans une poursuite judiciaire. À ce titre, la thèse de l'entrepreneurship leur est donc applicable, tout comme elle peut l'être par extension, à tous les individus ayant exercé des fonctions de commerçants en Nouvelle-France, y compris les Amérindiens.

Si Nish possède le mérite d'avoir soumis aux historiens économistes quelques problèmes inhérents au rôle des entrepreneurs coloniaux, à H.C. Pentland[8] on doit celui d'avoir extrait la masse des travailleurs de l'ombre par une étude systématique des relations de travail. Dans un article paru en 1959, cet auteur analyse le développement d'un marché du travail capitaliste au Canada. Après avoir défini ces termes et les avoir insérés dans une économie d'ensemble, l'auteur reconnaît une assez grande interdépendance entre la demande et les conditions de travail et en déduit que, historiquement, l'aspect essentiel du marché du travail est profondément relié à leur évolution. Rationnellement, la demande représentée par ce système est apportée par contraste avec d'autres formes d'organisation du travail, et l'auteur apporte à cet égard une distinction entre l'esclavage et le féodalisme. Il ajoute qu'une société capitaliste n'implique pas nécessairement la formation d'un tel marché du travail en précisant que, même si, à ses débuts, la population européenne du Canada faisait partie du monde capitaliste, son expérience s'est effectuée surtout à travers une forme féodale.

Certes l'esclavage a existé au pays mais c'était une pratique peu rigoureuse parce que très coûteuse, rapportant peu et inappropriée aux problèmes présents. Jusque vers 1850, on a surtout eu recours au féodalisme. Le régime seigneurial en constitue l'exemple le plus frappant: une noblesse dépourvue de privilèges maintenait des relations directes avec ses dépendants, en l'occurence des habitants libres d'occuper leurs terres et de dépenser leur capital à leur gré, et cette attitude retardait le développement d'une agriculture de type capitaliste.

Par ailleurs, les débuts de la colonie ont connu les mêmes problèmes que l'Europe médiévale, c'est-à-dire le manque de marché et de main-d'oeuvre spécialisée. Pentland explique comment la rareté du capital a conditionné le type de relations pouvant exister entre employeurs et employés, tant au niveau de leur fondement que sur celui de leur durée.

Les Forges du Saint-Maurice composent donc le meilleur exemple d'une organisation du travail de caractère féodal. Dans ce village isolé du reste de la colonie, s'est formée une communauté permanente parce que structurée et hiérarchisée, et maintenue telle à cause de l'origine des ouvriers, leur attitude mentale, les nombreux mariages consanguins et le transfert des métiers de génération en génération. Il commente l'extrême dépendance des travailleurs spécialisés vis-à-vis la compagnie en ce qui a trait au logement et aux services, la baisse progressive des salaires et le monopole abusif de certains directeurs, entre autres Matthew Bell dont le passage à la tête des Forges coïncide avec la décadence technique et politique de l'établissement. Il conclut que, malgré une administration faible, l'élan fourni par la main-d'oeuvre a réussi à conduire les Forges à la porte du 20e siècle.

Cette thèse de Pentland étudiant l'infrastructure sociale d'une communauté industrielle particulière et ses liens avec la conjoncture économique internationale se doit d'être retenue parce qu'elle propose des éléments originaux à l'histoire économique et sociale, soit l'étude d'une population, ses origines, ses alliances, sa mentalité et son milieu de travail.

Le milieu physique de l'établissement des Forges du Saint-Maurice suscite l'intérêt de quelques chercheurs. Un essai de David Lee paru en 1965[9] présente en introduction une brève rétrospective de l'histoire des Forges. Il ne s'écarte pas des thèmes soulevés traditionnellement, soit la découverte et l'identification du minerai, la formation et l'échec des compagnies au 18e siècle, et les administrations successives au 19e siècle. Ses commentaires touchent plus spécifiquement les aspects économique, structural et technologique. Il mentionne la grande variété des produits et allie leur fabrication au contexte international. En outre il fournit quelques chiffres de production annuelle, par exemple pour l'année 1808. Cependant l'auteur innove dans sa façon de traiter les installations techniques. Un chapitre est consacré à l'analyse de structures tel le haut fourneau, la forge haute et la forge basse suivant des données archéologiques, et cette démarche s'applique aussi à d'autres bâtiments comme la Grande Maison et la boulangerie. Les informations recueillies sont complétées par une documentation pertinente: ainsi l'un des appendices reproduit intégralement le texte de l'inventaire d'Estèbe de 1741. Tant à cause de son orientation nouvelle que de la méthodologie employée, le rapport de Lee, se voulant essentiellement une étude archéologique, constitue une oeuvre recommandable à ceux dont les compétences ou les intérêts sont dirigés en ce domaine, ou vers le structuralisme et l'histoire de la technologie.

Une occasion d'observer le comportement de la métropole vis-à-vis la création d'une industrie métallurgique en Nouvelle-France est offerte dans un chapitre de l'essai de Maurice Filion sur *La pensée et l'action coloniales de Maurepas vis-à-vis du Canada*[10]. Après avoir donné quelques causes ayant freiné l'exploitation du minerai au début de la colonie, il en vient à affirmer que Maurepas a innové en tant que ministre de la Marine lorsqu'il a favorisé la mise en valeur de ses ressources. Parce qu'il possédait des vues mercantilistes, Maurepas décida d'ouvrir des mines de fer et de construire des forges afin de mettre à exécution ses projets de construction navale.

C'est dans cette optique d'une politique globale de développement économique que l'auteur situe l'appui presque sans limite de l'homme d'État d'abord à l'entreprise privée de Poulin de Francheville — surtout parce que c'est une entreprise privée — et plus tard, aux nombreuses requêtes de Beauharnois et d'Hocquart dont les vues concordent avec les siennes. Tout au long des soubresauts qui agiteront la marche des Forges, on recevra de la part du ministre des quantités de mémoires accordant ou refusant des subventions royales et de la main-d'oeuvre spécialisée, déplorant la mauvaise qualité des produits, réglementant le prix du fer ou appuyant la construction de nouvelles installations techniques, ceci bien sûr, après « plusieurs examens de la situation ».

Filion veut démontrer que, malgré ses idées différentes de celles des responsables du Conseil de la Marine et parfois du Trésor royal, Maurepas a tout de même réusssi à implanter l'industrie du fer au Canada. Et il s'est limité uniquement aux Forges du Saint-Maurice bien que d'autres projets similaires lui fussent proposés, afin d'éviter toute entreprise concurrentielle pouvant présenter les mêmes difficultés financières ou administratives.

Vu sous l'angle de l'attitude métropolitaine, ce court extrait sur les Forges comporte vraisemblablement une touche d'originalité. Mais elle s'arrête là. Pour qui n'a jamais jeté les yeux sur les volumes de Fauteux ou de Tessier, on suggérerait la lecture de Filion. Dans le cas contraire, on retrouve — sans trop d'acharnement — les mêmes thèmes sur le plan technique et sur l'organisation des compagnies[11], les mêmes chiffres de production et de déficit, les mêmes commentaires sur le manque de main-d'oeuvre, sur les embarras monétaires de Cugnet et sur la situation générale de l'entreprise à la fin du régime français. Les éléments qu'il soulève ne manquent pas d'intérêt, mais il semble trop soumis au carcan du déroulement politique traditionnel.

Le régime anglais

Dans sa monographie, Albert Tessier avait apporté quelques faits originaux concernant la direction des forges immédiatement après la Conquête. Cette recherche a été poursuivie et élaborée par Marcel Trudel qui, dans son étude sur *Le Régime militaire dans le gouvernement des Trois-Rivières*[12], présente les résultats de cette administration entre 1760 et 1764.

Il donne d'abord une vue générale de l'établissement au point de vue du territoire, de l'environnement, de la population, des bâtiments réservés à l'industrie ou à d'autres fins en précisant que ces éléments ont formé un village organisé. Cependant, les suites de la guerre de Sept Ans provoquent une conjoncture plutôt défavorable: le nouveau gouvernement souffre d'un déficit financier à cause de la baisse des activités dans certains secteurs importants comme la traite des fourrures et la construction navale.

Dans ce contexte, l'auteur explique les étapes de la remise sur pied de l'entreprise: d'abord l'inventaire général d'Hertel de Rouville, les ordres donnés à Poulin de Courval pour la reprise des travaux, l'engagement de nouveaux ouvriers, leurs salaires, l'ouverture de chemins nécessaires à la récupération du charbon de bois et les placards relatifs à la coupe des arbres, la fabrication du fer en barres, etc... ce qui lui permet de déceler les résultats positifs de l'administration de Burton. La gestion de Haldimand se poursuit dans le même esprit. Trudel relate les dépenses encourues en vue de réorganiser les installations délabrées, et les projets du gouverneur visant à faire des Forges un véritable centre industriel qui pourrait servir de débouché au vieux fer des forteresses de l'Amérique du Nord. Après avoir étudié les fluctuations de la production et du marché du fer entre 1762 et 1764, et commenté le rôle de la main-d'oeuvre civile et militaire, au point de vue de la quantité, de la qualité, de même que de sa mobilité, l'auteur conclut que la prise en charge des Forges par des administrateurs britanniques durant le régime militaire a entraîné des conséquences fructueuses pour celles-ci.

Les ruines de la Grande Maison vers 1900.
(Archives publiques du Canada, négatif C4662.)

Sur le plan politique, tout comme Tessier, Trudel attribue aux déclarations de Burton à l'enquête du Board of Trade en 1763 une influence déterminante dans le choix du Canada par l'Angleterre lors des négociations du Traité de Paris, mais précise davantage l'esprit de l'article 55. Il conclut en analysant les effets bouleversants créés chez la population par l'avènement du gouvernement civil. Cette étude de Marcel Trudel mérite d'être considérée attentivement tant par le nombre de documents originaux qu'elle a livrés — entre autres, certains recensements et mémoires — que par une vision très claire du village des Forges à une période où ses activités étaient demeurées plutôt obscures. Il a réussi à démontrer justement que l'élan apporté par le régime militaire a profité avantageusement aux administrateurs qui ont suivi.

Dans le but de replacer l'industrie du fer dans le contexte nord-américain du 19e siècle, David J. McDougall donne un tableau de son évolution au Canada à partir de 1850[13]. Ayant souligné l'importance des Forges du Saint-Maurice comme seul producteur de fer canadien pendant le régime français, il note l'extension progressive de ce genre de travaux à travers le pays. À ce sujet, il constate que la plupart de ceux qui ont réussi à cette époque étaient propriétés de la famille McDougall — des Écossais arrivés au pays en 1833. Ceci lui fournit un prétexte pour présenter une brève rétrospective de leurs entreprises installées dans la région immédiate des Trois-Rivières et d'en expliquer les conditions de viabilité.

McDougall attribue le succès de chacune d'elles à une installation principale: le haut-fourneau alimenté au charbon de bois — suivant l'expérience acquise aux Forges. Il décrit le type de minerai extrait, les matières premières utilisées et précise que jusqu'à 1880, la production de fonte était issue de ce genre de fourneau. Après avoir dressé une liste des principaux produits, il mentionne les difficultés rencontrées par certains établissements au début du 19e siècle et les causes de leur fermeture. Il accorde à John McDonald et à sa politique nationale en 1878 le crédit d'avoir donné à l'industrie du fer son élan actuel. Il précise donc les effets de ces mesures sur les fluctuations de la production et du prix du fer entre 1878 et 1912. En ce sens, l'article de McDougall apparaît indispensable à celui qui se propose d'étudier l'évolution économique et technologique des Forges au cours de leurs dernières années d'existence.

On retrouve ici et là, surtout à l'intérieur de monographies d'histoire paroissiale, des notes touchant plus précisément le développement de la communauté industrielle des Forges. En puisant essentiellement dans les écrits de Thomas Boucher et d'Albert Tessier, Marcel Pratte soumet quelques notes relatives au fief Saint-Étienne[14]. Parallèlement, Hormidas Magnan retrace les antécédents religieux d'une paroisse limitrophe, celle de Saint-Michel-Archange formée en 1920[15]. La levée du monopole territorial de Matthew Bell, dans les paroisses de Saint-Maurice et de Champlain — notamment en 1817 — a permis à des auteurs tels que Prosper Cloutier[16] et E.Z. Massicotte[17] de commenter sur les contrats de terre consentis aux colons. Entre 1829 et 1845, les discussions provoquées dans le renouvellement du bail des Forges au sujet de l'utilisation d'une réserve de bois située dans la seigneurie du Cap-de-la-Madeleine — faisant partie apparemment des biens des Jésuites — sont relatées par Roy C. Dalton dans *The Jesuits' Estate Question 1760-1888*[18].

Situant les Forges dans le contexte très large de l'histoire de la Nouvelle-France, quelques auteurs dont Thomas Boucher[19] apportent de brefs commentaires sur les matières premières, tandis que d'autres mentionnent les explorations ayant eu cours dans la région trifluvienne en cherchant parfois les causes du maigre succès remporté par l'entreprise à cette époque[20]. Certaines études spécialisées — en particulier celles de Joseph Obalski[21] et de Harry Miller[22] — livrent de nombreux détails sur la technologie de l'usage du charbon de bois, la composition et la qualité du minerai des marais tel qu'employé dans cette industrie. À ce sujet, on retient tout particulièrement l'article de Fathi Habashi dans la revue *Chemistry in Canada*[23] qui — en plus de décrire certaines structures industrielles — fournit une bibliographie sélective des ouvrages traitant de la chimie et de la métallurgie qui sont conservés à la bibliothèque du Séminaire de Québec.

Les produits issus des Forges trouvent écho dans quelques articles et monographies. Les études qui traitent de la construction navale signalent à l'occassion les pièces qui y furent fabriquées[24]. Plusieurs commentaires s'appliquent également aux objets domestiques — les poêles surtout — aux points de vue de la qualité, des structures, des dimensions, des prix et de l'utilisation. À l'intérieur de cette catégorie se rangent les essais d'Arthur Legge[25], de Michel Lessard[26], de Marcel Moussette[27] et de Robert-Lionel Séguin[28].

Dans l'historiographie traditionnelle, les Forges du Saint-Maurice sont nées sous la plume des généralistes. Progressivement, elles croissent, s'animent, à mesure qu'on peut fixer dans le temps les coordonnées qui président à la formation d'une des multiples facettes de leur personnalité. Quelques spécialistes dévoilent les mystères entourant la composition des matières premières et leur transformation, recréent le processus scientifique suivi dans la mise en place des structures industrielles et leur fonctionnement. D'autres analysent le jeu des forces de production — politique, capital, produits, transports, marchés, etc... — inhérent à toute entreprise, et en spécifient les retombées sur la main-d'oeuvre, sa compétence, son salaire et ses conditions de travail.

En faisant revivre ainsi l'industrie, on découvre de nouvelles voies d'accès vers des études plus fouillées dans le domaine économique et technologique. Toutefois, il serait mal venu de négliger le fait qu'à l'intérieur de ces cadres se trouve l'essence de la communauté: le milieu humain dont le coeur bat au rythme des activités quotidiennes...

Chapitre 5
Le milieu humain

Biographies des administrateurs

On ne trouve pas d'études d'envergure consacrées spéci-fiquement à la société vivant aux Forges du Saint-Maurice. C'est à travers quelques notes sporadiques recueillies dans des biographies, des listes démographiques, des commentaires sur les activités des gens à certaines époques et sur leur mentalité par l'entremise de contes et de légendes qu'il apparaît possible de déceler le type de population qui y évoluait.

Dans sa conception et dans son organisation, l'entreprise visait à regrouper des personnages influents étroitement mêlés aux milieux d'affaires et politiques de la Nouvelle-France. C'est en tout cas ce qui ressort des biographies — envi-ron une vingtaine — de parution récente ou plus ancienne, et des articles généalogiques que l'on peut consulter sur le sujet.

Ce sont les principaux administrateurs des Forges qui retiennent surtout l'attention des biographes. Cameron Nish détient la part du lion puisqu'il a cerné les faits marquants de la vie de Poulin de Francheville, de François-Étienne Cugnet, d'Ignace Gamelin, de Jacques Simonet d'Abergemont et de Martel de Belleville[1]. Du premier promoteur des Forges, on retient quelques notes sur ses antécédents familiaux reliés à la seigneurie de Saint-Maurice et sur ses activités dans le commerce des fourrures à partir de 1722. Des commentaires assez longs touchent sa participation dans la mise sur pied de l'entreprise des Forges, la formation d'une première compagnie et l'interruption brutale de ses activités à cause de sa mort survenue en novembre 1733. Ayant apporté un estimé de sa fortune, l'auteur conclut en décelant chez lui les qualités de l'entrepreneur dont le décès prématuré fut une perte pour la colonie.

François-Étienne Cugnet est ici reconnu comme un homme à qui la diversité des occupations a conféré une importance indiscutable en Nouvelle-France. Sa biographie relate, outre son origine d'un milieu social favorisé, son éducation et les avantages reçus lors de son mariage, sa carrière d'administrateur du Domaine d'Occident, de la ferme de Tadoussac et de conseiller au Conseil supérieur. Nish s'attarde davantage à dépeindre ses fonctions au sein de la direction des Forges du Saint-Maurice dans la gestion de sa propre compagnie: sa formation, ses problèmes d'ordre technique et financier, et son échec. À ce niveau il note que, malgré la responsabilité proportionnelle de chacun des actionnaires dans l'entreprise, Cugnet fut le seul à être poursuivi par des créanciers. À cause de ses implications multiples dans les divers milieux d'affaires de la colonie, Cugnet peut être considéré comme « le véritable type du bourgeois gentilhomme ». Le fait d'avoir évolué dans une société souffrant d'une pénurie d'hommes d'initiative ou de personnel compétent lui a permis d'accéder au rang des citoyens éminents, rôle auquel il n'aurait pu aspirer s'il était demeuré en France. En ce sens, cette biographie présente un résumé fidèle de la thèse développée par l'auteur sur l'entrepreneur Cugnet.

Un autre commerçant, Ignace Gamelin, reçoit une mention biographique discrète qui illustre, en plus de ses origines canadiennes, son appartenance au groupe des marchands montréalais et son association avec Poulin de Francheville dans la mise en valeur des Forges.

Parmi ces négociants s'insère un maître de forges champenois, Jacques Simonet d'Abergemont, lui aussi associé dans

Les ruines du haut fourneau vers 1900. (Collection du ministère
des Affaires culturelles du Québec.)

la seconde compagnie des Forges. L'auteur rappelle ses conditions d'engagement, ses principales fonctions à la direction de l'entreprise, son intransigeance vis-à-vis ses partenaires et les projets qu'il a soumis à la suite de la faillite de 1741 en vue de réintégrer l'industrie. Jouissant d'une excellente réputation dans le milieu trifluvien, Jacques Simonet ne saurait être tenu responsable des frasques de son fils Jean-Baptiste. Mais il a aussi recherché ses propres intérêts et constitua, par le fait même, le type du métropolitain entrepreneur dans la colonie.

Nish veut évoquer également le rôle de certains administrateurs pendant la régie d'État. Dans ce cadre figure Jean Martel de Belleville qui, à une carrière de fonctionnaire, a allié celle de directeur des Forges entre 1742 et 1750. Un exposé de ses fonctions permet à l'auteur d'ajouter une parenthèse sur la marche de l'établissement à cette époque, surtout au point de vue des techniques de production.

La gestion de l'entreprise a incité d'autres historiens à faire sortir de l'ombre des individus qui y étaient étroitement impliqués. Hervé Biron retrace le passé familial et seigneurial de Pierre Poulin[2], notaire royal aux Trois-Rivières et son affiliation à la première compagnie formée par son frère Poulin de Francheville, alors que Donald J. Horton reprend ces mêmes éléments dans la biographie consacrée à Louis-Frédéric Bricault de Valmur[3], secrétaire de l'intendant Hocquart. Et Thérèse de Couagne, veuve de Poulin de Francheville, mérite une certaine considération lorsqu'on raconte sa participation active et ses obligations dans l'industrie naissante des Forges ceci grâce à l'héritage reçu à la mort de son mari[4].

Les principales charges exercées par Thomas-Jacques Tachereau, sieur de Sapaillé, à l'intérieur de l'administration coloniale sont recensées par Pierre-Georges Roy et Honorius Provost[5]. Ceux-ci traitent de sa venue au Canada comme secrétaire de l'intendant Dupuy en 1726, de sa nomination d'agent des trésoriers généraux de la Marine en 1732 et de son expérience comme conseiller au Conseil supérieur dès 1735. Provost est d'avis que Tachereau, étant habitué à gérer les fonds publics, songea à spéculer dans son propre intérêt, ce qui explique son intégration à la compagnie Cugnet. De l'exploitation des Forges, il est très peu question, car l'auteur s'attarde davantage à décrire ses fonctions de seigneur de la Chaudière.

Parlant des divers postes attribués au Sieur Guillaume Estèbe entre 1729 et 1750 — entre autres, ceux de marchand forain, de conseiller au Conseil supérieur ou de garde-magasin à Québec — Pierre-Georges Roy[6] le qualifie de « séide effronté de l'intendant Bigot » et d'un des plus grands profiteurs de la colonie. L'auteur reconnaît toutefois l'excellent travail entrepris par Estèbe à la direction des Forges du Saint-Maurice entre 1741 et 1744, utilisant à cet effet les comptes rendus dressés par l'administrateur. Et en s'appuyant sur les ordonnances des intendants de la Nouvelle-France, Roy esquisse les responsabilités d'Hertel de Rouville[7] comme subdélégué aux Forges à la suite d'une nomination d'Hocquart en 1747.

Certains personnages n'ayant eu que des rapports brefs ou indirects avec l'entreprise des Forges reçoivent peu de crédit à cet effet de la part de leur biographe. Malgré tout, Donald J. Horton[8] tient à souligner le rôle de Jean-Eustache Lanouiller de Boisclerc ayant pris part aux expéditions de recherche du minerai de fer à la Pointe-du-Lac en 1740, et Frédérick J. Thorpe[9] celui de l'ingénieur Gaspard-Joseph Chaussegros de Léry, qui en 1739 analysa le potentiel de productivité de l'industrie. Dale C. Standen[10] rapporte les faits et gestes du gouverneur Charles de Beauharnois de la Boische qui visa à l'intégrer dans un projet d'économie mercantiliste.

Peu d'informations biographiques existent relativement à ceux qui se sont distingués pendant la période postérieure à la Conquête. Quelques notes ont été glanées à travers de courts articles ou études généalogiques fondées pour la plupart sur des données empiriques. À ce niveau peuvent se ranger des lignes de Gérard Malchelosse[11] sur Zachary Macaulay, d'A. Latt[12], d'E.Z. Massicotte[13] et de W.S. Wallace[14] sur Conrad Gugy. Par contre, Francis J. Audet et Fabre-Surveyer puisent dans différents dépôts d'archives pour dresser un court article biographique de Matthew Bell, de David Munro et de John

Lees[15]. Ils font ressortir surtout leurs activités d'hommes d'affaires et de locataires des Forges du Saint-Maurice étroitement associées à celles de parlementaires et de militaires. Sont ajoutés quelques détails fort pertinents concernant leur origine, leur alliance familiale et leur descendance. À cet égard, Benjamin Sulte[16] dresse, en 1898, un bilan des activités politiques de John Lees; A.H. Young[17] rapporte, quant à lui, les principaux postes occupés par Andrew Stuart.

En règle générale, on ne saurait dénier l'utilité d'un dictionnaire comme instrument de recherche et raison de plus s'il s'agit d'un dictionnaire biographique. Étant donné la spécialisation grandissante de la science historique, il devient parfois nécessaire de replacer l'étude d'un individu dans une conjoncture événementielle. En ce sens, les biographies consultées dans les éditions récentes du *Dictionnaire biographique du Canada*[18] nous apparaissent dignes de mention. Rédigées par une variété d'historiens s'appuyant sur des données scientifiques, elles tentent de cerner, d'une manière aussi précise que concise, l'évolution de personnages s'étant distingués à une époque donnée, et elles obtiennent leur plein effet la plupart du temps. À ce niveau, on remarque un double emploi exercé par cette publication: en tentant de faire jaillir à la lumière la vie d'individus, cachée depuis quelques siècles sous la poussière des documents d'archives, on a réussi en même temps à tirer de l'ombre une pléiade d'historiens qui se sont ainsi découvert un talent de biographe. Résultat positif sans aucun doute, mais qui entraîne des inégalités dans la qualité de la production biographique.

Ce qui nous importe davantage, c'est que la conjugaison de ces deux éléments favorables ne vise qu'à créer une sorte de « Who's who » de l'histoire canadienne. À chaque page, il est rare qu'on puisse fuir le nom d'un membre de l'élite politique, commerciale, militaire ou religieuse. Cette superstructure sociale serait-elle seule représentative de notre passé traditionnellement connu sous un jour épique et glorieux? Des questions surgissent donc quant aux critères de sélection de ces vedettes et de leur imprésario. Nous souhaitons vivement la mise en chantier d'une oeuvre parallèle — une sorte de dictionnaire des Anonymes — illustrant les faits et gestes de ceux qui ont aussi fabriqué notre histoire: ces hommes et ces femmes employés comme apprentis, domestiques ou artisans dans les milieux industriels, commerciaux ou privés.

Image de la société et de sa mentalité

Il est possible de retrouver l'origine et les déplacements d'une partie de ceux qui sont venus s'installer aux Forges ou dans les environs suivant quelques recensions démographiques. Émile Demaizière[19] dresse un bilan sommaire des habitants originaires de Bourgogne qui s'y sont établis à partir de 1730, à la suite des engagements effectués par Vezin et Simonet. Dans ce même ordre d'idées, on peut retracer quelques ouvriers originaires de France qui y ont travaillé au 18e siècle d'après le recensement des engagés pour le Canada tel qu'établi par MM. Gaucher, Delafosse et Debien[20].

Quoiqu'une grande discrétion couvre la vie de cette population ouvrière, quelques indices fragmentaires sont apportés, notamment par l'abbé Napoléon Caron[21]. Ce dernier présente toute la verve qui caractérisait les activités au village des Forges entre 1748 et 1780 en parlant de l'usine, des ouvriers, de leur habitation, leurs conditions de travail, le va-et-vient des voyageurs et ajoute quelques notes sur la vie religieuse. Ses remarques sont complétées par celles de l'abbé J.E. Bellemare[22] qui a recensé les missionnaires et prêtres ayant exercé un ministère dans la desserte des Vieilles Forges entre 1740 et 1916. À cet égard, l'étude du Père Jouve, *Les Franciscains et le Canada*[23], apporte des précisions sur le passage des Récollets entre 1736 et 1769, sur leur influence dans la construction d'une chapelle et dans l'établissement des registres d'état civil à partir de 1740.

Si ces indications laissent croire à de fortes tendances religieuses chez la population des Forges, elles paraissent contrebalancées par une autre réalité, celle des croyances mythiques et des superstitions. Quelques auteurs, notamment

Napoléon Caron[24], Thomas Boucher[25] et Dollard Dubé[26] ont fait état de la tradition orale exprimée dans les contes et légendes ayant circulé à l'intérieur de la communauté. Dans le relevé qu'ils ont établi, on trouve environ une douzaine de récits légendaires ayant comme sujets immédiats l'agglomération, ses habitants et leurs relations avec le surnaturel représenté par un de ses agents: le diable.

L'environnement physique auquel se trouve intégré le village n'est pas sans rappeler son affinité avec les hameaux qu'on retrouve dans les contes du Moyen-Age. Caron souligne son isolement qui en fait un des endroits les plus mystérieux au Canada. Et que dire de la toponymie des environs qui s'affiche de manière assez révélatrice lorsqu'on parle de la « vente-au-diable » et qu'on qualifie la décharge du ruisseau des Forges de « Fontaine du diable ». Dans ce milieu s'agitent des hommes, des femmes, des travailleurs, d'origines et de classes sociales diverses et exerçant des métiers variés. On retrouve des administrateurs: Bell, McDougall; des artisans: bûcherons, charretiers, contremaîtres, fondeurs, forgerons; des aubergistes et des domestiques. Leur labeur s'incarne dans le mouvement assourdissant d'un complexe industriel actionné par un haut fourneau, une forge haute, une forge basse, un martinet et un marteau[27]. Entre l'homme et la machine surgit l'élément primordial: le feu. Le feu qui donne vie à toutes ces structures, le feu qui s'élève, tel un volcan, au-dessus du haut fourneau, le feu qui conduit le travail des cyclopes, le feu qui imprègne les ouvriers des couleurs de la terre en les parant d'une allure quasi démoniaque.

Pour quiconque a grandi dans la riche tradition bourguignonne, ce décor infernal devient propice à l'élaboration de croyances fantastiques. Le diable se trouve *ipso facto* mêlé à la vie quotidienne tant par la vérité des sobriquets dont on l'affuble — l'gâbe, l'iâble, le beuglard — que dans les représentations que lui confère l'imagerie populaire. Parfois elle l'assimile à un bestiaire: il devient ce gros chat noir couché près du haut fourneau, là où la chaleur est si intense qu'aucun être humain ne saurait résister; cet ours qui traverse, à midi, le

Les ruines du haut fourneau vers 1915. (Collection Louise Trottier.)

village sur la pointe des pieds, ou encore ce boeuf enfermé accidentellement dans une écurie. En d'autres occasions, il est intégré au fonctionnement de la machinerie: il provoque soudainement le bruit du gros marteau de la forge ou déclenche le feu de la cheminée du haut fourneau qui constitue pour lui un endroit de prédilection; chaque soir il attend la coulée de 11 heures pour venir s'y réfugier.

La plupart du temps, on lui accorde une forme humaine, parfois comique — comme c'est le cas de cet individu qui se rase à l'extérieur par un matin d'hiver glacial — parfois dramatique — c'est un homme noir qui se promène près de la Vente-au-diable en faisant ses comptes — ou s'associant à certains métiers tel ce charretier de benne qui dévale un précipice. Il s'immisce dans les activités sociales — surtout les bals fréquents à l'auberge — qui débouchent occasionnellement sur un Sabbat. Dans ses préoccupations essentielles, cette communauté a signé un pacte avec le feu, donc avec son pensionnaire et elle ne recule devant aucun effroi pour s'y soumettre.

Comment ne pas voir dans ces transformations constantes une personnification des défauts des habitants des Forges. À titre de fieffés jureurs, bagarreurs, buveurs et menteurs, reconnus tels par eux-mêmes donc par la légende, ils se cherchent un exutoire admirablement incarné par nul autre que le Malin. À ce niveau se situe une antithèse: l'apparition du héros Édouard Tassé. Doué de talents exceptionnels, ce type presque surhumain, le seul capable de s'opposer aux forces démoniaques, devient le délégué, le fondé de pouvoir de cette société en lutte contre ses faiblesses. Tel que vu par la tradition orale, Tassé, l'homme fort des Forges, c'est le mélange entre la réalité et la fiction, entre l'humain et le fantastique, celui à qui elle accorde le crédit d'une mort édifiante.

D'autres contes semblent être issus de ceux qui ont été rapportés précédemment. On pense par exemple à *Étincelles* de Moïsette Olier[28], qui s'éloigne des sentiers traditionnels pour illustrer plutôt les ambitions et le travail acharné d'un jeune ouvrier devenu contremaître de l'entreprise. Cette intrigue permet à l'auteur de présenter une vue d'ensemble du monde du travail, des activités sociales, religieuses et de la mentalité qui prévalaient aux Forges vers le milieu du 19e siècle.

Les contes et les légendes esquissent certains traits de la société des Forges, mais ils en laissent plusieurs dans l'ombre. Les sources consultées précédemment en dégagent un portrait plutôt artificiel et font naître à plusieurs égards, ce sentiment d'isolement, de crainte et de mystère si souvent mentionné par les auteurs. Des questions jaillissent massivement quant à la composition de la population, à ses occupations quotidiennes, à ses loisirs ou à ses attitudes religieuses. La masse s'exprime rarement et plus souvent elle apparaît comme un jouet entre les mains d'administrateurs avides de pouvoir et d'argent, et remarquables par leur absentéisme fréquent probablement dû à leur grande « mobilité sociale et économique ». Contrairement à l'industrie qui se voit comblée par un nombre imposant d'écrits, le peuple de cette communauté industrielle souffre qu'on ait si peu parlé de lui.

Troisième partie
L'industrie du fer: étude comparative

Chapitre 6

L'industrie du fer en France

La mise en marche de l'industrie des Forges du Saint-Maurice risque d'apparaître précoce à ceux qui associent généralement ce genre de phénomène à celui de la révolution industrielle du 19e siècle. Elle est pourtant reliée définitivement au grand mouvement international des découvertes scientifiques et techniques du début du 18e siècle et dans ses structures même elle possède quelques éléments issus de l'époque médiévale.

À plusieurs reprises, les études sur les Forges ont fait état d'une importation de la main-d'oeuvre spécialisée venant de France ou encore de séjours de perfectionnement effectués par certains ouvriers en Nouvelle-Angleterre. Ces deux facteurs nous informent donc partiellement sur les influences extérieures que l'entreprise a pu recevoir à ses débuts et possiblement tout au long de son existence.

À titre comparatif, nous avons voulu retracer l'évolution de l'industrie du fer dans quelques contrées: en France, en Grande-Bretagne et aux États-Unis, qui, par suite de considérations d'ordre politique, économique et géographique, demeurent les plus susceptibles d'avoir établi des contacts avec la Nouvelle-France à ce sujet. Puis nous avons cru bon d'analyser le fonctionnement de certaines agglomérations industrielles — Coalbrookdale, en Angleterre; Maramec, Hopewell, Oxford, Saugus, aux États-Unis — afin d'y déceler les affinités et les différences qui les rapprochent ou les écartent de celle des Forges du Saint-Maurice.

Dans son étude sur *L'industrie du fer en France* parue en 1922[1], Jacques Levainville présente des informations assez élaborées touchant surtout l'aspect technologique. S'appuyant sur des données archéologiques, il souligne l'existence de foyers sidérurgiques à l'époque où la Gaule était encore à l'âge du bronze. Il décrit également l'organisation de la métallurgie à la suite de la Conquête romaine et l'introduction du four catalan[2] qui sera utilisé en France jusqu'au 13e siècle.

L'auteur étudie en outre les raisons qui ont provoqué l'apparition du haut fourneau, en décrit les structures et principales opérations, les lieux où il est utilisé et son expansion à partir du 16e siècle. Considérant les matières premières il note les problèmes qui touchent l'extraction du minerai et la fabrication du charbon de bois, particulièrement aux points de vue écologique et territorial, et fait état des mesures législatives comme remède.

Au sujet de la main-d'oeuvre, Levainville énumère les principaux groupements ouvriers ayant existé d'abord dans les forges volantes[3], et plus tard près des hauts fourneaux. Il remarque les grands changements qui sont survenus à l'époque moderne sur le plan des conditions de vie et de travail, de la diversité des métiers et de la formation de compagnonnages. La modicité des salaires permettait l'emploi de travailleurs agricoles et sous-entendait un manque de spécialistes. Par ailleurs il démontre comment la formation des grands monopoles favorise la concentration de l'industrie dans certaines régions et entre les mains d'une grande bourgeoisie composée d'un nombre restreint d'individus.

Ce qui entraîne certes une production minuscule car trop limitée par le régionalisme, c'est-à-dire que la séparation existant entre les forges et les industries de transformation réduit considérablement les échanges commerciaux. Levainville explique comment ces grands centres affectés à la distribution des marchandises dépendent de voies de communication souvent d'un accès difficile.

L'état de tension internationale prévalant au 18e siècle oriente la demande du côté des pièces d'armement qui réclament une plus grande consommation de produits d'affinage[4]. Comme l'industrie française ne peut répondre à ces exigences, elle doit faire face à une concurrence étrangère très forte. Des exemples illustrent la réduction considérable du volume des exportations.

Somme toute, une faiblesse accentuée caractérise la sidérurgie française jusqu'à 1789, tant au point de vue commercial que technique. L'auteur déplore le fait que les forges et les fourneaux n'ont pas été marqués par de profonds changements entre le 14e et le 18e siècle car ils n'ont pas senti le besoin d'adopter, comme ce fut le cas en Suède et en Angleterre, de nouveaux procédés d'exploitation. Selon Levainville la véritable révolution industrielle en France débute en 1782, lorsque, au Creusot, on allume les premiers hauts fourneaux au coke. Finalement il retrace les grandes étapes de l'utilisation de ce combustible minéral et ses implications dans l'industrie du fer au 19e siècle. À ce niveau, l'opuscule de Levainville est certes digne de consultation car il réussit à donner une synthèse assez exacte de l'évolution de l'entreprise métallurgique française.

L'essai de Bertrand Gille sur *Les Origines de la grande industrie du fer en France* publié en 1947[5] possède un caractère hautement spécialisé. Dans une première partie l'auteur dresse un panorama du développement de l'industrie et de ses conditions économiques et sociales avant 1661. Ses commentaires touchent particulièrement l'installation progressive des centres miniers en Gaule, les changements apportés lors de la conquête romaine aux points de vue du capital, de la main-d'oeuvre et des marchés, et la ruine de ce système économique à la suite de différents fléaux qui ont affligé l'époque médiévale.

Sur le plan technique, Gille relate les innovations ayant eu cours au Moyen-Age, par exemple l'emploi de la force hydraulique aux 12e et 13e siècles et l'apparition du haut fourneau probablement au 15e siècle. À l'évolution de la situation juridique il fait suivre une rétrospective de l'organisation de la production. À ce sujet l'auteur explique les transformations opérées par le féodalisme sur la main-d'oeuvre et remarque une montée du mouvement coopératif à partir du 14e siècle.

Gille considère ensuite la grande réorganisation de l'industrie métallurgique commencée par Colbert dès 1661. Après avoir exposé les idées du ministre sur la mission économique de l'État, l'auteur souligne les réformes apportées sur le plan juridique, l'érection du mercantilisme, ses conséquences favorables et les difficultés rencontrées notamment en ce qui a trait au recrutement de la main-d'oeuvre et des investissements privés. Il souligne l'impulsion donnée par Colbert dans la création et la concentration des grandes entreprises et décrit le fonctionnement de ces compagnies. Il conclut en affirmant que cette période qui va de 1661 à 1730 aura constitué une étape importante pour la sidérurgie française, tant sur le plan de la stabilisation des prix que sur celui du regroupement de la production. Malgré son échec, le colbertisme aura donc réussi à établir les fondations solides d'une industrie qui évoluera dans les siècles suivants.

La seconde partie de l'ouvrage traite de la mise en branle de l'industrie du fer à l'époque moderne et des principales conditions auxquelles elle fut soumise afin d'obtenir son plein rendement. Le milieu physique importe primordialement; l'auteur analyse le processus d'utilisation des matières premières: en considérant la localisation, les conditions légales et techniques de leur extraction et mise en valeur, les besoins, les possibilités, les problèmes d'ordre climatique et écologique et les remèdes apportés en vue de leur protection. Il explique en outre, les raisons qui, en France, ont freiné l'usage du charbon de terre jusqu'à la fin du 18e siècle.

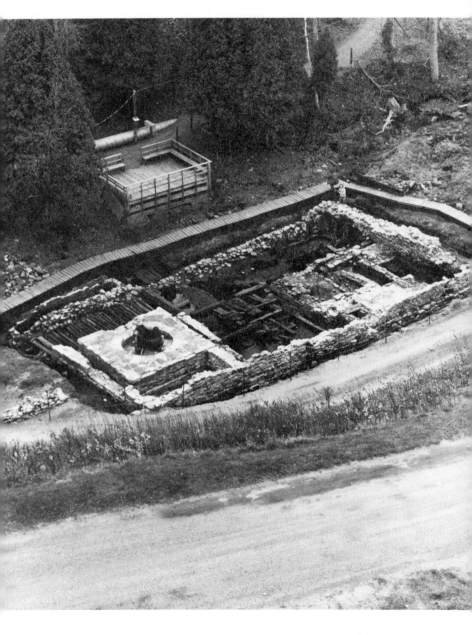

Fouilles archéologiques sur le site de la forge haute. Le massif de maçonnerie à gauche représente les vestiges d'un haut fourneau nommé le « fourneau neuf » érigé en 1881.

Après avoir donné un compte rendu des ouvrages techniques et relatifs à la métallurgie qui ont exercé une influence à cette époque, il apporte des détails sur le haut fourneau. Il décrit ensuite la forge et ses opérations et fait état des recherches effectuées par Réaumur sur la fabrication de l'acier. Il précise que le machinisme s'est fort peu développé en France et déplore l'échec presque complet des laminoirs[6].

Sur le plan commercial, Gille commente longuement les problèmes inhérents à la mise en marché des produits soit le manque de débouchés et les lacunes existant dans les voies et les moyens de communication. Au 18e siècle l'industrie sidérurgique en France souffre d'un régionalisme accentué qui affecte le produit national brut. En fait la majorité des forges ne travaillent que pour remplir les besoins locaux lesquels restent fort limités. Même s'il est plus développé, à cause de la présence de grands centres de rassemblement, de distribution et d'utilisation des produits, le marché national souffre de restrictions douanières qui augmentent le prix des fers déjà assez élevé. Et au niveau international les importations possèdent un volume aussi faible que les exportations. À ce sujet, une comparaison statistique est apportée relativement à leur pourcentage en France et en Angleterre pendant cette période.

L'auteur tente d'expliquer ces conditions économiques déficientes par certains traits de mentalité: la timidité de l'épargne française, laquelle cherche à immobiliser ses investissements dans des placements sûrs plutôt que dans l'industrie et la centralisation de l'argent à Paris. Il identifie les principaux investisseurs qui sont regroupés en compagnies et critique le fonctionnement de ces sociétés au point de vue de l'administration et de la répartition des capitaux. La fondation du Creusot en 1780 sert de point de repère pour démontrer comment se forme ce genre d'affaire et les intérêts qui y sont impliqués. Par ailleurs l'État demeure la principale source de financement pour l'industrie naissante. Après avoir étudié les critères sur lesquels se fonde son rôle de prêteur de même que les types de subventions, Gille analyse les principaux éléments qui affectent le prix de revient comme les matières premières, le matériel de fabrication et les transports. Une consultation de quelques bilans l'amène à conclure que la vie sidérurgique française à cette époque souffre de mauvaise gestion des affaires, de faillites de créanciers, donc ces faits confirment le manque d'éducation financière des administrateurs et une pénurie de capitaux.

Abordant le sujet des conditions sociales, l'auteur note qu'elles ont fort peu évolué depuis 1661 et que, face aux mêmes problèmes, on retrouve les mêmes solutions. Des commentaires touchant le nombre des effectifs et la répartition du personnel d'une forge signalent leur importance et leurs faiblesses. À cet effet Gille divise ceux qui y sont engagés en deux catégories: les ouvriers externes et les ouvriers internes. Il distingue la spécialité et les traits de mentalité propres à chacun de ces groupes. En s'appuyant sur les marchés d'embauchage et sur une législation ouvrière rigide, il dénonce une carence au niveau de la main-d'oeuvre spécialisée. Malgré des défauts d'évaluation des salaires causés par la diversité régionale l'auteur peut schématiser les modes de rétribution utilisés et expliquer leur différence suivant la valeur professionnelle de l'ouvrier. En ce qui concerne les superstructures administratives, des enquêtes menées en 1771 et en 1788 lui permettent d'identifier les propriétaires de forges avec la grande bourgeoisie. Avec le colbertisme on remarque l'apparition du grand entrepreneur recevant des monopoles et recruté souvent parmi les maîtres de forges issus de la noblesse d'épée — mais on déplore généralement leur ignorance technique.

Un des aspects de la grande industrie demeure fondamentalement sa concentration dans un milieu déterminé. L'auteur étudie donc ce processus dans différentes régions de la France: l'Alsace, le Hainaut, la Bourgogne, la Champagne, la Franche-Comté, la Bretagne, le Bordelais et la Normandie. Il accorde une mention spéciale aux forges de la Chaussade créées dans le Nivernais en 1720 en décrivant leur fonctionnement au point de vue de la production, de la main-d'oeuvre, des matières premières, des salaires, des marchés, etc... De la même façon il traite du rôle des Wendel en Alsace, qui — à

l'instar des McDougall aux Trois-Rivières au 19e siècle —
vont contrôler vers 1789 une grande partie de la sidérurgie
française après avoir relevé quelques forges d'un état critique,
ou participeront à la création de nouvelles industries.

Pourtant ce phénomène de regroupement de toutes les
opérations de transformation se rencontre très rarement au
18e siècle. Parce que la consommation du fer est réduite, il
devient compliqué de lui trouver un marché. La plupart des
établissements industriels recensés par l'auteur et qui se plient
à ces critères, fabriquent presque essentiellement du matériel
de guerre.

Oeuvre de l'État en grande partie, la grande industrie
sidérurgique française se trouve donc fermement implantée à
la fin du 19e siècle. Bien qu'elle demeure sporadique sur le plan
technique, son morcellement n'existe plus sur le plan économique. Les bouleversements sociaux provoqués par 1789
affecteront en profondeur les structures juridiques des entreprises et leur centralisation favorisée par l'ère napoléonienne
en achèvera la transformation.

L'oeuvre de Gille n'est pas récente. Cependant elle
contient tous les éléments fondamentaux pouvant conduire à
la poursuite des recherches en histoire industrielle tant sur le
plan des instruments de travail et de la méthodologie — on
pense par exemple à la bibliographie extrêmement fouillée et
aux nombreux tableaux de statistiques apportant des données
sur la production, la main-d'oeuvre, la technologie — que sur
celui de la présentation. Les grandes étapes de l'industrie
métallurgique en France sont retracées fidèlement de même
que leur contexte dans l'économie européenne des temps
modernes. Par sa clarté et sa précision cette étude atteint le but
qu'elle s'est fixée et est fortement recommandable à ceux qui s'
intéressent à l'histoire des sciences et des techniques.

Il est aisé de dégager des monographies de Levainville et
de Gille les facteurs qui orienteront le cheminement de l'industrie du fer en Nouvelle-France. Déjà on aperçoit des
constantes dans la mise sur pied des forges françaises et celles

du Saint-Maurice, dans la progression de ces établissements sur les plans politique, social et technologique. Des similitudes persistent même au niveau des problèmes administratifs, écologiques, économiques et structuraux. Cependant l'histoire de la métallurgie au Canada resterait incomplète si on omettait de reconnaître ses autres mères: la Grande-Bretagne et les États-Unis, qui, par l'entremise de petits centres d'innovations technologiques, influenceront son comportement surtout au 19e siècle.

Chapitre 7

L'industrie du fer
en Grande-Bretagne

Thomas Ashton, auteur connu par ses ouvrages sur la révolution industrielle[1], propose, dans une étude publiée en 1924, une rétrospective de l'industrie du fer en Angleterre[2]. Alors qu'une première partie donne un aperçu de l'usage du charbon de bois depuis ses débuts jusqu'au 18e siècle, les suivantes s'appliquent tout particulièrement aux grandes découvertes qui préfigurent les bouleversements du 19e siècle. Dans ce contexte sont étudiées les expériences d'Abraham Darby et Benjamin Hunstman ayant trait à la fonte au coke et à l'acier; les relations entre James Watt, Matthew Boulton et les Wilkinson lors de l'invention de la machine à vapeur et son application dans l'industrie; les répercussions de ces découvertes sur les spécialistes directement impliqués, tels les ingénieurs et les maîtres de forges; enfin l'apport de Henry Cort dans les opérations du puddling[3] et du laminage.

Sur le plan économique, l'auteur relie l'expansion de l'industrie sidérurgique à la concurrence internationale et mesure ses effets sur la politique commerciale en dégageant notamment les fluctuations occasionnées par les périodes de guerre ou de paix. Au niveau social, ses retombées atteignent trois groupes différents: les capitalistes dont les activités politiques et industrielles sont généralement interdépendantes; les maîtres de forges et les ouvriers du fer dont on analyse la mobilité, les conditions de travail et les salaires. Compte tenu des thèmes qui sont présents, l'abondante documentation, les nombreuses annexes et illustrations, ce livre constitue un point de référence important.

La sidérurgie britannique s'est développée surtout à travers de petits établissements où des expériences audacieuses en vue d'améliorer les techniques de transformation du minerai se sont jointes aux nombreuses recherches des savants contemporains; par le fait même ces établissements sont devenus les foyers des grandes découvertes scientifiques à l'origine de la révolution industrielle. Dans cette catégorie s'insère l'entreprise familiale des Darby qui débute avec l'usage des fours à charbon de bois à la fin du 17e siècle, et se poursuit jusqu'en 1851. Arthur Raistrick[4] et Barrie Trinder[5] ont tous deux étudié l'impact créé par cette dynastie de fondeurs.

On retient trois facteurs susceptibles d'expliquer le succès quasi ininterrompu rencontré par les Darby. Leur appartenance à la secte religieuse des Quakers, avec laquelle ils entretiendront des relations tout au long de leur existence motivera leur discipline vis-à-vis eux-mêmes, leurs associés et employés. Comme second facteur, l'environnement physique où s'est développée l'entreprise compte énormement; dans la dernière partie du 17e siècle, on remarque une renaissance du commerce du fer reliée à une migration des centres de fabrication dans le Sussex, le Weald et la forêt de Dean à cause de l'abondance des matières premières. Située dans le Shropshire sur un des affluents de la rivière Severn — l'une des voies d'eau les plus importante du pays — Coalbrookdale détenait à l'époque 95 % de la production du charbon de la région. Enfin, les préoccupations d'ordre scientifique, ce désir d'approfondir incessament recherches et expériences que possédait Abraham Darby I, a constitué une sorte de tradition qui sera maintenue par ses descendants et leurs collaborateurs.

Raistrick passe donc en revue chacune des administrations successives pour en faire ressortir les points saillants. Il démontre comment les antécédants familiaux d'Abraham Darby, son apprentissage dans le commerce du fer avec les

Quakers et ses activités dans une brasserie qu'il a établie à Bristol l'ont conduit, en 1709, à acheter une petite forge dans le site très avantageux de Coalbrookdale. Ayant formé une compagnie avec deux associés, Darby veut remédier au prix exorbitant de la fabrication du charbon de bois et cherche un moyen de réduire le minerai en faisant des expériences avec le coke et le charbon. Elles rencontrent un certain succès mais sont interrompues par sa mort en 1717.

Ses fils Abraham II et Edmond qui avaient reçu une éducation appropriée, prennent la relève quelques années plus tard. À ce moment on peut dire que l'entreprise était lancée. En fait, ce qui la distingue c'est son caractère essentiellement familial qui sera maintenu grâce au jeu des alliances avec d'autres grandes familles de Quakers. S'appuyant sur des livres de comptes et des bilans, Raistrick fait état des différentes associations qui ont formé la compagnie, des types d'investissements, des nombreuses transactions qui s'avéraient parfois compliquées surtout dans le cas des règlements de successions; il relate l'extension progressive des travaux à laquelle se rattachent des périodes de fluctuations ou de dépressions amenant une profonde modification de ses structures économiques et administratives à la fin du 18e et au 19e siècle.

L'auteur considère aussi l'aspect personnel et social de la vie des Darby: mariages, naissances, décès, et leur vie religieuse intense. Il souligne l'hospitalité par excellence qui caractérise la demeure des maîtres également remarquables par leurs qualités morales. Ceci est manifeste notamment dans leurs relations amicales avec les ouvriers. De fait, ceux-ci habitaient dans les maisons de la compagnie et apparemment tout était assuré pour leur bien-être. Il cite l'exemple d'un des directeurs, Richard Reynolds, qui leur a permis l'accès à ses propriétés et a fait construire des logis pour les personnes âgées ou miséreuses. Au 19e siècle, de nouvelles habitations sont érigées et des mesures tendent vers la protection des travailleurs malades ou encore vers l'éducation des enfants des ouvriers.

La majeure partie de l'étude de Raistrick touche foncièrement l'évolution technologique de l'entreprise et son expansion lesquelles sont associées aux efforts constants des directeurs; c'est pourquoi la plupart des chapitres tentent de retracer le rôle de chacun d'eux depuis les débuts de Coalbrookdale. L'auteur décrit d'abord les installations techniques mises en place progressivement à partir de 1708, par exemple les structures, dimensions et procédures d'opération du haut fourneau — inspiré d'un modèle du Yorkshire — et son rendement, ceci entre 1717 et 1728. Il note les expériences nombreuses tentées pendant cette première période en vue d'utiliser le coke comme combustible et les résultats partiellement infructueux.

La compétence de Richard Ford, qui dirige l'entreprise entre 1718 et 1730 est reconnue: en plus de l'invention d'une presse à vis, on entreprend la fonte de rails pour les routes. À Abraham Darby II, qui lui succède en 1738, on associe des expériences pour régulariser la soufflerie du fourneau par l'utilisation de pompes. Mais l'implantation de la machine à vapeur en 1742 vient résoudre ces problèmes. Ceci occasionne des changements majeurs au point de vue commercial et technique, entre autres, l'installation de nouveaux fourneaux à Horsehay et Ketley. Et une des tâches principales de Richard Reynolds, nommé directeur en 1763, fut d'oeuvrer en ce sens en reliant Coalbrookdale à une industrie du pays de Galles. On lui doit également la construction d'un chemin de fer à Horsehay en 1767. Cette fonderie est devenu bientôt la plus importante de la région; ainsi, en 1766, on peut y fabriquer du fer dans un four à réverbération[6] et des expériences sont effectuées à l'aide de la machine rotative de Boulton et Watt.

Au 19e siècle, la compagnie entreprend des essais sur de nouveaux types d'engin. Ceci s'applique surtout au développement de la chaudière, de la forge et du laminoir; l'introduction d'une plus grande quantité de coke et l'application du soufflage à air chaud. À ceci s'ajoute l'expansion des forges par l'installation d'une nouvelle machinerie. À cet égard il est possible de mesurer l'évolution de l'industrie à l'aide de certains tableaux proposant un état général de sa situation tout spécialement dans les années 1760, 1784 et 1827.

Fouilles archéologiques sur le site de la forge basse. La cheminée d'affinerie servait à transformer les gueuses de fonte en fer.
(Photo Parcs Canada.)

Mais Coalbrookdale s'illustre par l'implantation et surtout la fabrication de la machine à vapeur au 18e siècle. Raistrick énumère les premières expériences à ce sujet et justifie l'importance du rôle de Newcomen. Puis il relève les étapes de son utilisation par les Darby en fournissant plusieurs détails relatifs à sa construction — commencée dès 1722 — et son application en 1742. Quelques comptes rendus établis entre 1748 et 1766 lui permettent de déterminer les marchés où sont expédiés ces engins, de même que l'influence marquée par l'expansion des travaux.

De fait la période qui va de 1772 à 1805 est très représentative des efforts de la compagnie et surtout de ses usines de Horsehay et Ketley en vue d'apporter des améliorations techniques constantes tant au point de vue expérimental que de la production. Régulièrement des ingénieurs et savants tels Brindley, Watt, Hornblower, et Trevithick sont venus visiter les lieux de l'industrie qui a accru sa spécialisation en ce domaine. Les effets sont impressionnants si l'on considère un tableau comparatif des opérations du haut fourneau suivant la machine à air ou à vapeur.

Ils s'appliquent également au point de vue économique. Les premières années, ils limitèrent la production aux objets domestiques; à cause de leurs convictions religieuses, les Darby refusèrent en effet toute commande d'armements lors de le guerre de Sept Ans.

Puis la compagnie s'est préoccupée de produire une variété de pièces d'engins et de machines à vapeur qui seront employées tant dans l'industrie que dans les moyens de transport. Dans ce domaine, l'auteur souligne ses principales réalisations: des rails de chemin de fer, des essieux et des roues de wagon depuis 1767. Et en 1778, après de nombreuses pétitions, une loi du Parlement britannique lui accorde le droit de construire un canal sur la rivière Severn. L'auteur en rapporte les circonstances en précisant le rôle joué par le fils de Richard Reynolds, William, qui y a introduit le plan incliné. Il mentionne aussi la contribution des Darby dans l'érection d'autres canaux. À cela s'ajoute une description des ouvrages considérables exigés pour la construction en 1777-1778 d'un pont en fer sur ce même cours d'eau, et qui ont amené des modifications dans les structures techniques de l'entreprise.

Ses dernières années ont bénéficié d'une concentration dans la production d'objets artistiques. Jouissant de la collaboration d'architectes tel John Nash, les Darby ont également importé des designers français pour se lancer dans la fonte de ballustrades, de barrières, de dômes, d'une fontaine ornementale, de plaques de poêles, de foyers et de rampes d'escalier. Des spécimens provenant de l'ensemble de leurs réalisations ont reçu un acceuil favorable à l'Exposition internationale tenu à Londres en 1851.

Toutefois Raistrick apporte très peu d'informations sur le rôle de la main-d'oeuvre à Coalbrookdale. On connaît son existence surtout par l'attitude paternaliste des directeurs mais on ne possède pratiquement aucune statistique sur le nombre d'ouvriers, les métiers exercés, les conditions de travail et les salaires, sauf une exception, pour l'année 1772, où il est fait mention du travail effectué par des enfants. Par ailleurs, il est stipulé que, en plus du matériel produit à la fonderie et dans ses forges à l'époque de la machine à vapeur, Coalbrookdale a également contribué à la formation d'ouvriers spécialisés et d'ingénieurs qu'elle a préparés pour la grande industrie.

En ce sens on peut difficilement reprocher à Raistrick d'avoir dévié de sa route puisqu'il a voulu présenter a priori une oeuvre traitant de l'histoire des sciences et de la technologie. C'est pourquoi on ne lui tiendra pas rigueur d'avoir négligé les aspects économique, social et politique. L'importance de cet essai se reflète surtout dans une documentation pertinente présentée en appendice et dans le nombre considérable de plans et d'illustrations du site de cette agglomération industrielle de même que les engins qui y ont été fabriqués.

Dans une rétrospective de l'industrie métallurgique au pays de Galles, Morgan Rees[7] présente les centres qui se sont activés dès la moitié du 16e siècle. Située dans le Glamorgan et le Monmouthshire, cette industrie fut la première à être exploitée dans un but lucratif surtout par des maîtres de forges du Sussex qui y ont émigré après que des restrictions furent imposées dans les forêts du Weald. Il mentionne l'abondance des matières premières dans les vallées de Glamorgan et d'Afon Lwyd et ajoute que l'industrie est formée d'un groupe de petites unités à cause de sa dépendance vis-à-vis le charbon de bois et les difficultés d'approvisionnement. Ayant décrit les structures et le fonctionnement d'un haut fourneau alors en usage à Blaencanaid et à Angelton, il note qu'une certaine prospérité a permis la création d'un marché en Angleterre et en Irlande. Il analyse ensuite les raisons — d'ordre écologique, économique et politique — qui ont considérablement ralenti les exportations de fer au 17e siècle et remarque une diminution et une dispersion progressive des forges dans le pays de Galles. Par ailleurs, quelques courtes descriptions de ces hauts fourneaux — à Caerphilly, à Coek Ithel et Trellech — et des structures industrielles à Llannelly retiennent l'attention.

Aux 18e et 19e siècles les fonderies du Monmouthshire sont administrées par des marchands-locataires à bail. Techniquement certaines d'entre elles suivent le courant des découvertes des Darby de Coalbrookdale en ce qui touche l'utilisation du coke comme combustible — c'est le cas de Blaenavon en 1789. Des détails concernant les structures et opérations des installations de Surhowy et de Rhymney Iron Co. démontrent la présence d'une machine à vapeur.

Des innovations techniques caractérisent également la région du Glamorgan à la même époque. Rees décrit brièvement les établissements notoires situés dans le nord: ceux de Dowlais, Penydarren, Plymouth et Cyfartha au point de vue des matières premières, des bâtiments, et dénonce des faiblesses dans les moyens de transport. Dans le centre, les forges n'ont duré que de façon éphémère surtout pour des raisons administratives. Par contre dans l'ouest, plusieurs sites sont reliés au développement technologique dans la vallée de la Tawe. À quelques endroits ont lieu des essais pour fondre le minerai à l'aide de l'anthracite. À ce sujet, Ystalefera, établie en 1838, présente les marques d'une industrie moderne mais elle ne saura concurrencer l'acier, ce qui amènera son déclin en 1885. Par contre on remarque moins de forges dans le nord que dans le sud. Alors que Bersham s'illustre comme étant le berceau de la fonte au coke, d'autres comme Flintshire se spécialiseront dans des alliages de fer et de manganèse: ce panorama technique se trouve complété par une présentation des principaux outils utilisés dans les forges.

Considérant le fait que cette étude est de nature technologique, on ne peut que la recommander, tant à cause de son discours clair et concis, que pour la bibliographie recherchée et les nombreuses illustrations qu'elle comporte.

Dans leurs essais respectifs Ashton, Raistrick et Rees font valoir l'évolution de l'industrie du fer en Grande-Bretagne presque uniquement sur le plan des découvertes scientifiques. Et l'historien qui se plonge dans la lecture de ces oeuvres est immédiatement saisi par cette nouvelle dimension: celle des directeurs et maîtres de forges figurant davantage au rang des hommes de sciences que parmi celui des administrateurs. Le hasard a possiblement guidé la polyvalence de la production mais elle est aussi le résultat de l'animation continue de l'esprit scientifique caractéristique du siècle des Lumières.

Ces auteurs possèdent donc le mérite d'avoir su mesurer justement l'impact exercé par une petite entreprise sur la mise en marche de la révolution industrielle. Par ailleurs ils inspirent une masse de questions relativement aux répercussions de ces découvertes à l'étranger, au Canada par exemple. Comment se présentait la technologie aux Forges du Saint-Maurice aux 18e et 19e siècles, en particulier au niveau des expériences effectuées, des innovations qui en ont découlé, et leur influence sur la création d'autres foyers sidérurgiques à la même époque. On ne peut que souhaiter la réalisation d'une oeuvre qui saurait répondre adéquatement à ces problèmes.

Chapitre 8

L'industrie du fer aux États-Unis

Un grand classique de la littérature métallurgique aux États-Unis est offert dans l'essai d'Arthur Cecil Bining *Pennsylvania Iron Manufacture in the Eighteenth Century*, publié d'abord en 1938[1]. L'auteur a concentré sa recherche uniquement sur le développement de l'industrie du fer en Pennsylvanie, qui au 18e siècle en constitue un des foyers notoires. C'est ainsi qu'il nous propose une retrospectivee des principaux établissements qui ont vu le jour peu de temps après que les premiers explorateurs britanniques eurent pris contact avec le sol nord-américain.

Il doute fort que les Amérindiens aient travaillé le fer avant l'arrivée des Blancs, quoique certains oxydes ou roches météorites furent utilisées. Il relate donc les tentatives de la Virginia Company of London dès 1608; celles des « Southampton Adventurers », un groupe mû par des connaissances scientifiques, venu à Jamestown en 1622 et de la Company of Undertakers for the Iron Works — dirigée par John Winthrop — qui s'est établie à Saugus dans la Baie du Massachusetts en 1629, et les efforts d'autres entreprises qui se sont signalées en Nouvelle-Angleterre dans la seconde moitié du 17e siècle, particulièrement dans le Connecticut, le New Jersey et le Rhode Island. Malgré la présence du minerai et quelques installations rudimentaires, une série de difficultés rendent l'industrie stagnante pendant plus de trente ans. Il situe ensuite les principaux centres industriels au 18e siècle et énumère les facteurs qui déterminent l'installation des premières *bloomeries*, sur la rivière Schuylkill, dans la région de Coventry, dans les vallées du Delaware, de Susquehanna et des Alleghanys.

Ayant déterminé qu'à cette époque tous les matériaux nécessaires à la fabrication du fer se trouvaient en abondance, Bining fournit des données géologiques sur la composition du minerai et ses principaux lieux d'extraction. Traitant du combustible, il décrit le procédé de carbonisation du bois alors en usage et soumet les raisons qui, malgré les expériences des Darby dans l'emploi du coke, incitent les maîtres de forges américains à lui préférer le charbon de bois. Il replace le haut fourneau — qui succède aux bloomeries — dans le contexte d'un long processus depuis les fours catalans du Moyen-Age jusqu'aux « *stückofen* » allemands[2] — dont il analyse les structures — et en décrit les opérations, la machinerie, la main-d'oeuvre requises et la production. Sauf en ce qui concerne la fabrication des clous et du fer en barres, très peu d'innovations caractérisent cette première partie du 18e siècle et les problèmes doivent être résolus par la première génération des maîtres de forges. En fait, la guerre d'Indépendance impose un frein aux inventions; certaines expériences en vue de perfectionner les engins à vapeur introduits avant 1775, s'avèrent infructueuses.

Des considérations d'ordre économique touchent les nombreuses tentatives de l'Angleterre pour s'accaparer la production du fer colonial — puisque sa participation aux conflits européens accroît ses besoins en ce domaine — et les mesures législatives émises dans ce but. En ce sens, l'industrie sidérurgique est encouragée par le Board of Trade et les tarifs préférentiels, mais comme la colonie ne peut faire face à la demande métropolitaine, cette politique aboutit à un échec. L'auteur analyse les effets de la rupture diplomatique après la révolution américaine, par exemple la politique tarifaire protectrice émise en 1780 et ses répercussions sur l'ensemble du pays. À ce

Vue aérienne des sondages archéologiques entrepris sur une partie du secteur de l'habitat ouvrier aux Forges du Saint-Maurice. Les structures rectangulaires de part et d'autre de la photo sont des corps de logis destinés aux familles d'ouvriers au 19e siècle. (Photo Parcs Canada.)

sujet il dresse un tableau du coût de production et de fluctuation des prix du fer en 1783, et déplore les lacunes dans la documentation qui ne permettent aucune évaluation du volume des
exportations avant 1770, période où la Pennsylvanie donnait
le ton sur les autres colonies. En fait le développement de l'industrie du fer facilite la séparation d'avec la métropole et la
plupart des fonderies ont été encouragées par la fabrication du
matériel de guerre pendant la révolution. L'auteur fait état des
fluctuations de la production entre 1783 et 1810 — en notant
une réduction sensible des exportations vers l'Angleterre — et
souligne l'extension de l'industrie à partir de cette période.

Celle-ci se distingue sur le plan administratif. Bining voit
dans son histoire celle des réussites de certains maîtres de
forges et les faillites de quelques autres. Il résume les obstacles
majeurs à son développement, lesquels résident surtout dans
le manque de capital. Provenant de sources variées, la plupart
du temps de la formation de compagnies, il s'épuise rapidement devant le nombre élevé d'investissements requis pour
suppléer au coût des installations techniques. Le manque de
numéraire affecte de façon chronique les directeurs d'entreprises qui sont empêchés d'avoir recours au crédit pour satis-
faire leur clientèle et ainsi rencontrer les besoins existants.

Le système de travail qui s'est développé dans les colonies américaines était fondé sur les institutions britanniques
du 17e siècle. À cet égard, l'auteur démontre comment l'environnement nord-américain a transformé les conditions de travail et les statuts des employés qui ont été moulés suivant
l'économie d'un pays de frontières. N'étant pas soumis aux
restrictions imposées dans le système capitaliste européen, les
travailleurs du fer formaient un groupe hétérogène, et parfois
le manque de qualifications attirait des règlements sévères.
Après avoir établi les causes de la rareté de la main-d'oeuvre,
l'auteur retrace l'origine ethnique des ouvriers, décrit les fonctions des apprentis, des manoeuvres et des spécialistes, et leurs
relations avec les maîtres de forges. Il étudie les oscillations
des salaires en fonction du coût de la vie et des prix du marché,
et constate un niveau plus élevé qu'en Europe.

Leurs employeurs, les maîtres de forges, étaient regroupés de façon aussi disparate. Bining distingue leur provenance sociale et indique les liens existant entre l'industrie, l'agriculture et la politique, en citant par exemple, le rôle des entrepreneurs dans la convention constitutionnelle de la Pennsylvanie en 1776. Généralement bien éduqués et possédant à l'occasion des connaissances scientifiques, il leur était possible d'ériger une entreprise à l'intérieur d'une communauté structurée.

L'industrie métallurgique en Pennsylvanie était organisée en plantations ressemblant aux petits manoirs féodaux de l'Europe médiévale. L'auteur en dégage les éléments: les habitations des maîtres et des ouvriers, et les installations techniques. Il rend compte de la vie et du travail quotidiens, des biens et services reçus, de l'éducation, des loisirs — en particulier ceux des directeurs se rapprochant des activités de la noblesse britannique — de la pratique religieuse et de la mentalité. Étant donné leur isolement, ces milieux se montraient propices à l'élaboration de légendes et de traditions qui leur étaient particulières.

Parce qu'elle présente des facteurs pouvant assurer une certaine continuité dans la présentation d'un village industriel du 18e siècle en Amérique du Nord, l'oeuvre de Bining constitue un apport indispensable tant pour ses sources que pour sa présentation simple et juste. Il ne reste plus qu'à appliquer cette grille à un des centres sidérurgiques débutants pour en découvrir l'authenticité.

Composée d'un groupe de britanniques et de résidents du Massachussetts, la « Company of Undertakers of the Iron Works in New England » établie à Saugus en 1664, constitue le prototype de l'industrie américaine. E.N. Hartley rassemble dans *Iron works on the Saugus*[3], étude datant d'une vingtaine d'années, les éléments qui ont contribué à sa formation, son expansion et son extinction vers 1670. Et ces facteurs qui confèrent à Saugus son caractère original, se retrouvent dans ses structures administratives, économiques, politiques, sociales et technologiques.

La création de ce type d'entreprise se fait à partir d'un processus particulier suivi scrupuleusement. À la recherche des matières premières se joint celle des hommes et des capitaux nécessaires à leur mise en valeur. En ce sens, Saugus ne triche pas. L'auteur rapporte les principales expéditions en vue de la découverte du minerai qui ont eu cours dans l'Amérique du 17e siècle en comparant les différences de buts qui animaient les colons de la Nouvelle-France et ceux de la Nouvelle-Angleterre. Il note la précarité de leurs établissements et fait ressortir les démarches de la Massachusetts Bay Company et de son promoteur, John Winthrop.

Puis Hartley analyse l'organisation de la compagnie des Undertakers: ses actionnaires probables, leurs motivations d'investissement et leurs aspirations capitalistes. À ce sujet, il insiste sur le rôle des Puritains formant la majorité des membres dont les idéaux sont fortement imprégnés de prosélytisme. À la suite de la répartition de l'entreprise en deux centres, ceux de Braintree et de Hammersmith respectivement établis en 1645 et en 1646, une nouvelle gestion est assurée. Hartley relate donc les faits et gestes des principaux directeurs, dégage toute la complexité de l'administration — des propriétaires métropolitains aux propriétaires coloniaux — et les difficultés d'ordre juridique, technique et financier qui ont provoqué leur faillite.

Hartley tient compte également de l'intervention de l'État dans l'octroi d'un monopole aux sociétaires, intervention qui se manifeste aux niveaux métropolitain et municipal, en détaille les principales conditions et les avantages. Il énumère en outre les responsabilités de chacun des membres dans la conduite des travaux à Braintree et à Hammersmith. Dans le but d'évaluer la production de ces deux centres, l'auteur extrait quelques chiffres d'inventaires pour les années 1651-1652 et 1655, qui lui permettent de soupçonner que les profits nets résultant des activités de la compagnie sont presque négligeables.

Résumant les difficultés inhérentes à l'emploi de la main-d'oeuvre spécialisée, Hartley distingue les principales

Poêle simple en fonte fabriquée aux Forges du Saint-Maurice, vraisemblablement entre 1799 et 1817. À noter les éléments décoratifs néo-classiques formés de pilastres cannelés jumelés. (Photo Parcs Canada.)

catégories de travailleurs qu'on peut trouver à Hammersmith, suivant leur lieu d'origine, leur nombre, les métiers qu'ils exercent, leurs salaires et conditions de travail en faisant la part réservée aux surnuméraires et aux engagés. Soulignant leur statut de colons qui prime sur celui de Puritains, il en détache leur mentalité particulière. L'institution familiale est présente — on mentionne que des enfants sont employés comme apprentis — et tous bénéficient de la nourriture, du logement et des services fournis par l'entreprise.

La majorité des dirigeants possédaient des connaissances scientifiques, ce que révèlent tant le choix du site des deux centres exploités que les types de bâtiments industriels qui y furent établis. Hartley rend compte de leur installation progressive; il semble qu'un haut fourneau fût en opération à Braintree aussi tôt qu'en 1644. Toutefois Hammersmith, édifiée l'année suivante, présente davantage l'allure d'une usine de grande envergure car, dans l'esprit des directeurs, son importance ne résidait pas nécessairement dans les dernières applications de la technologie. Il devient donc possible de détecter la plupart des opérations auxquelles étaient soumises les matières premières en vue de leur utilisation et transformation. De nombreux détails touchent directement la machinerie: haut fourneau, forge, affinerie, chaufferie[4], fonderie, éventuellement un four à réverbération — et leur fonctionnement — de même que les autres bâtiments utilitaires. À ceci s'ajoutent des évidences archéologiques prouvant que Hammersmith fut conçue comme un tout intégré; une unité économique auto-suffisante et articulée dans laquelle les produits bruts ont été transformés en produits finis, alors que Braintree a plutôt servi de forge auxiliaire. En plus Hammersmith a participé à la formation d'une génération d'ouvriers qui se sont dirigés ultérieurement vers d'autres fonderies dans les régions adjacentes.

Hartley réussit donc à convaincre le lecteur que l'industrie métallurgique établie à Saugus illustre la transplantation d'une technologie avancée née d'un commerce du fer débutant en Angleterre en même temps que la culmination des espoirs des explorateurs et habitants du Nouveau Monde. Il explique clairement comment les petites entreprises du 17e siècle aux États-Unis sont le produit du jeu des alliances religieuses, politiques et financières. En ce sens, il s'appuie fondamentalement sur la thèse de Weber pour déterminer que dans l'éthique protestante a germé l'esprit du capitalisme. On retient aussi son interprétation du phénomène de la durée: résumant les facteurs qui ont conditionné la courte vie et les échecs de ces premiers établissements, il leur attribue une partie des réussites rencontrées au 18e siècle. Toutefois, on pourrait regretter que ses considérations idéologiques prennent le pas sur des détails d'ordre plus technique recherchés lors de la lecture d'une oeuvre si solidement documentée.

Contrairement à celle de Hartley, l'étude de Walker sur la communauté industrielle de Hopewell dont l'édition originale remonte à 1967[5], est caractérisée justement par la variété des thèmes abordés. Ayant donné la situation exacte de l'entreprise, l'auteur distingue les termes « village » et « communauté » et en précise toute la dynamique. Sa première partie offre donc une rétrospective du village pennsylvanien qui s'est animé entre 1771 et 1883 ainsi que les principaux aspects qui seront développés ultérieurement tant au point de vue économique, que politique et technologique.

Il s'attarde peu à décrire les administrations successives; on est informé sur la constitution des compagnies, leur mode de financement, leurs méthodes de gestion, leur prospérité fragile, de même que sur leurs difficultés financières et leur réorganisation; et le rôle des directeurs est surtout associé à la mise en valeur progressive de l'établissement. Sont invoquées les raisons qui ont guidé Mark Bird dans le choix de cet emplacement, soit la présence de matières premières, et leur utilisation. Y sont intégrés des commentaires dignes d'intérêt s'appliquant à l'environnement physique. En se basant sur la quantité de charbon de bois requise pour alimenter le haut fourneau, l'auteur analyse les conséquences sur le territoire, son exploitation agricole et forestière et les relations qui s'ensuivent entre les fermiers, les patrons de l'établissement et ses habitants.

Walker insiste sur l'importance du haut fourneau, en décrit le fonctionnement, la durée des opérations suivant les saisons, les bâtiments qui en sont dépendants, les réparations impliquées occasionnellement et leur effet dans la suspension des activités. Il rend compte des essais infructueux de Clément Brooke un des maîtres de forges à Hopewell dans l'utilisation de l'anthracite comme combustible — tout laisse supposer que le charbon de bois domine pendant toute la période des actvi- tés comme le mentionne un tableau représentatif de l'année 1850 — et des changements techniques reliés à la manoeuvre d'une machine à vapeur amenée vers 1878.

Il note peu de variantes dans la production débutante: exception faite des pièces d'armement coulées pendant la guerre d'Indépendance, on s'est concentré sur la fabrication de poêles dès 1772. Mais elle se diversifie peu à peu au 19e siècle lorsqu'on s'oriente vers les objets domestiques, la machinerie agricole et le fer en gueuse[6]. Il fait état de la fluctuation des prix, des facteurs qui influencent la circulation de la monnaie et les contacts avec le marché extérieur, par exemple, les dépressions — comme ceci se voit en 1837 — les conflits armés, et la politique tarifaire. Walker rend compte également de l'animation économique provenant de l'intérieur. Hope- well obtient le titre de village commercial par l'entremise du magasin de la compagnie constituant parfois la seule source de profit pour les directeurs. Sont étudiées ses occupations majeures au point de vue des fournisseurs, des acheteurs, du volume des ventes et des prix utilisés parfois à titre compara- tif. On retient une enquête fort intéressante tenue entre 1831 et 1833 sur les attitudes et les besoins des consommateurs. Tout ceci est associé indubitablement au phénomène des com- munications considéré sous l'aspect du développement des routes et des moyens de transport, des dépenses et revenus impliqués et des répercussions sur le marché.

Poêle « de fantaisie » fabriqué aux Forges du Saint-Maurice entre 1820 et 1840.
(Photo Musée national de l'homme, Ottawa.)

Et celui de la main-d'oeuvre ajoute une dimension professionnelle au village. Considérant que les opérations du haut fourneau requièrent un personnel varié, hautement spécialisé ou journalier, à plein temps ou saisonnier, et rémunéré selon ses responsabilités, l'auteur a fait une étude de toutes les classes d'employés pendant cinq périodes de coulée entre 1805 et 1853. Il a pu ainsi identifier 33 catégories distinctes d'ouvriers dont il analyse subséquemment les fonctions, les salaires, le rendement journalier et la mentalité. Par ailleurs, la situation isolée et la communauté peu nombreuse rendaient possible des relations très personnelles entre le directeur et ses travailleurs. À Hopewell, il n'est fait mention d'aucune grève ni de violence majeure contrairement à ce qui se passait en Grande-Bretagne. Walker parle d'une collaboration soutenue entre les employés et d'une association organisée par les maîtres de forges. Il apporte des commentaires sur le nombre de journées de travail par année, leur durée, les congés, l'absentéisme et les amendes prévues à cet effet, pour conclure au caractère paternaliste de cette relation employeur-employé. Il déclare que la main-d'oeuvre spécialisée est insuffisante pour répondre à la demande en temps de prospérité. Puis il rend compte des procédures de recrutement lesquelles touchent traditionnellement les familles du voisinage et leurs descendants, et à l'occasion, des esclaves noirs et des militaires. Il décèle une grande mobilité parmi les journaliers qui sont parfois assez difficiles à trouver.

Comme la plupart de ces effectifs se devaient d'habiter sur les lieux du travail, l'auteur présente une description élaborée — avec des illustrations à l'appui — des résidences des ouvriers au point de vue des structures, du mobilier et des objets domestiques. Il établit une distinction entre le statut social des propriétaires, des locataires et de ceux qui habitaient dans une pension, et soulève certaines questions relativement à l'alimentation, au chauffage et aux frais d'entretien ou de location. Quelques-uns de ces éléments se retrouvent également dans la maison des directeurs. Elle se caractérise par sa grandeur, son élégance et son triple rôle de résidence, de siège d'autorité et de centre social.

L'analyse de Walker se poursuit à travers la société de Hopewell principalement au niveau de sa composition et des services qui lui sont offerts. Il consacre quelques pages à la population noire, importante quantitativement et qualitativement, en soulignant sa compétence professionnelle. Par contre il affirme que si Hopewell représente le ciel pour les chevaux, c'est un enfer pour les femmes parce que les chevaux recevaient les meilleurs soins tandis que les femmes devaient prendre soin d'elles-mêmes. Il définit leurs occupations majeures — traditionnelles ou professionnelles — c'est-à-dire alliées à leur foyer ou à la fonderie, la façon dont elles sont dédommagées et les privilèges qui leur sont accordés. En plus d'étudier leur rôle d'épouse, de mère et de consommatrice, il considère leurs qualités et vertus morales. Et il démontre comment les enfants — garçons et filles — sont utilisés comme force productive au 19e siècle d'après les tâches qui leur étaient assignées dans l'industrie ou la communauté lesquelles dépendaient d'une certaine formation reçue et incluaient des allocations versées aux parents.

Insistant sur le fait que les relations entre les habitants de Hopewell étaient fondées sur l'entraide, Walker détermine la conception des dirigeants au sujet de la forme que peuvent prendre les bénéfices marginaux. Tout de même, ils offrent des services de santé et au milieu du 19e siècle, un système d'éducation est mis sur pied. Un ministère religieux sera assuré à cette même époque. Desservie au début par un ministre itinérant, Hopewell connaîtra, sous l'impulsion des maîtres de forges, l'implantation de quelques confessions religieuses vers 1820. Alors que leurs effets sont mesurés sur le comportement des habitants, l'auteur s'appuie sur la tradition voulant que ces établissements de l'industrie du fer se révèlent généralement durs et manquant de zèle, et jusqu'à un certain point, ceci s'applique à Hopewell. Quelques traits de mentalité ont rapport aux loisirs, au charlatanisme, aux superstitions, voire à la sorcellerie. Décrivant la présence de marchands, de comédiens ambulants et de guérisseurs, et la circulation de journaux, de revues et d'une certaine littérature de colportage, il ne prouve pas l'influence que pourraient exercer ces facteurs sur la conduite de la population.

On ne saurait trouver de monographie plus complète au sujet d'une communauté industrielle que celle de Walker. Et à un point tel qu'elle constitue presque une encyclopédie. En abordant le thème de la vie quotidienne d'un groupe intégré à une entreprise sidérurgique qui en constitue le centre, et ceci à l'aide de données archéologiques, iconographiques, de sources primaires et secondaires, Walker a posé le fondement d'études prochaines orientées dans une voie multidisciplinaire.

L'historien lui est redevable de ne pas s'être concentré uniquement sur la durée de l'expérience événementielle mais d'y avoir démontré la continuité avec des éléments d'ordre plus prosaïque peut-être mais jugés d'importance primordiale dans l'évolution spatio-temporelle d'une société. Toutefois, il déplore quelques lacunes dans la conclusion plutôt discrète, n'affichant aucun indice se rapportant à la fermeture des travaux surtout en ce qui concerne l'environnement, les migrations probables des habitants ou encore l'influence sur un développement technologique dans les régions avoisinantes. Malgré tout on demeure réceptif à la lecture d'un tel ouvrage. Serait-ce que la communauté de Hopewell ait été si nettement structurée qu'on puisse en parler si aisément?

Les Forges de Maramec établies sur la rivière du même nom dans la vallée du Mississipi par Thomas James et Samuel Massey au début du 19e siècle présentent toutes les caractéristiques d'une industrie de frontière selon James Norris[7]. Dans une courte brochure, il soulève les principaux aspects par lesquels s'est distinguée cette entreprise entre 1826 et 1876. Ses commentaires touchent brièvement l'érection des structures industrielles: le haut fourneau, les tuyères[8], les marteaux, l'affinerie ou chaufferie et leurs opérations. Parlant de l'utilisation des matières premières, il décrit le procédé de carbonisation du bois et apporte des estimés au sujet de la consommation journalière requise par le fourneau, le coût du chauffage, et donne des exemples de production saisonnière. Il en déplore toutefois les conséquences néfastes sur l'environnement physique: ayant dressé une liste des arbres qu'on y trouve, il qualifie de destruction suicidaire l'épuisement progressif de la forêt.

Celle-ci était exploitée par des fermiers-bûcherons occasionnels. À ce sujet, Norris analyse les conditions — d'ordre géographique et économique — qui ont favorisé ou retardé le recrutement de la main-d'œuvre au cours de cette période, par exemple le Boom de l'Ouest, la dépression de l'Est et la construction du chemin de fer. Il précise les régions d'origine des travailleurs, les tâches qui leur étaient dévolues en insistant d'une part sur les métiers spécialisés et d'autre part sur les journaliers conscrits surtout parmi les esclaves noirs. Il fait ressortir leurs salaires, leurs conditions de travail et la durée de l'emploi — tant pour les femmes que pour les enfants.

Comme toutes les entreprises frontières, Maramec a souffert d'une pénurie chronique d'effectifs tout au long de son existence. Cependant, Norris rapporte les profits rapides accumulés par le magasin établi en 1842 et le large marché qu'il desservait du côté sud-est des États-Unis. Il fait état en outre, des tactiques utilisées par William James pour assurer la stabilité de son personnel en spécifiant que l'organisation de l'entreprise s'insérait dans le cadre du féodalisme puisque — entre autres raisons — toutes les propriétés appartenaient à la compagnie. En fait, les activités de cette société sont fort peu connues: à part quelques registres de baptêmes, mariages et sépultures, il est vaguement fait mention des loisirs saisonniers et de la mentalité.

Cette courte brochure alimentée à la source d'une documentation fort spécialisée se veut davantage un exposé bref sur la situation des travaux de Maramec plutôt qu'une étude élaborée. Elle réussit à capter l'attention sur quelques installations techniques et sur la variété des artisans qui y sont affairés. On aimerait connaître jusqu'à quel point l'auteur s'est appuyé sur des données archéologiques pour étoffer son exposé — ou s'il s'est concentré uniquement sur des sources provenant d'archives locales. Peut-être le site de Maramec compte-t-il légèrement dans l'échelle des valeurs des grands centres sidérurgiques mais son importance réside dans le fait qu'on soit informé de son existence.

Établis à Richmond en Virginie au sud de la rivière Potomac, les Tredegar Iron Works, sont considérés comme la plus ancienne industrie du fer dans cette partie des États-Unis. Dans un ouvrage classique d'histoire économique, *Virginia Iron Manufacture in the Slave Era,* Kathleen Bruce[9] rappelle les faits saillants de cette entreprise née de l'union d'une forge et d'un laminoir en 1837. Des détails sont apportés au sujet de l'organisation administrative: l'acte d'incorporation de la compagnie, les droits et obligations des actionnaires et de leurs agents commerciaux. À l'occasion, il est question de ses réussites et de ses difficultés financières qui précipitent les transactions de liquidation en 1865.

L'auteur s'attarde peu sur des considérations d'ordre technique excepté pour signaler la qualité du charbon de bois fabriqué à Richmond et citer l'état de la machinerie suivant certains rapports parus entre 1838 et 1847. Elle s'offre davantage le luxe de parler sur les produits issus de Tredegar: du fer en barres et en feuilles, des machines agricoles, mais surtout des pièces d'armement. En ce sens. le gouvernement américain deviendra son client attitré pour qui sera construit un cotre en 1844. Et après 1860, Tredegar constituera la source majeure d'approvisionnement en armes pour la Virginie et toute la confédération sudiste. Cependant, ces travaux n'auraient pu survivre seulement à l'aide de contrats gouvernementaux. Ils trouvent un marché métropolitain du côté de la Nouvelle-Angleterre, et certains bilans produits entre 1840 et 1850 démontrent que la demande est plus forte au Nord qu'au Sud. L'auteur rattache le succès des travaux à leur expansion en 1845 alors qu'ils s'allient avec deux autres entreprises, et en mesure les conséquences bénéfiques à la suite de la grande dépression industrielle de 1849-1850. À cet effet, elle se fonde sur un tableau de la production et des profits réalisés entre 1844 et 1852.

Marmite en fonte. Bel exemple des produits mis en vente
par les Forges. (Photo Parcs Canada.)

Mortier en fonte pour la préparation des médicaments.
Fabriqué et mis en vente par les Forges.
(Photo Parcs Canada.)

Cette réussite provient également de l'engagement d'esclaves noirs à partir de 1843. Après avoir énuméré les problèmes chroniques inhérents à la main-d'oeuvre blanche, l'auteur évalue le potentiel fourni par les noirs au point de vue spécialisation, coût d'achat et d'entretien, salaires, rendement et rentabilité. En fait le « cheap labour » est ici considéré comme une propriété offrant de multiples avantages sur le plan économique et social. À cet égard, Bruce fait ressortir les relations entre le maître et ses employés, leurs activités journalières de même que les exigences disciplinaires et leurs résultats.

L'esclavage industriel constitue également le sujet d'un article de Charles Dew paru en 1974[10]. À partir du « letterbook » de David Ross, un des plus riches planteurs virginiens qui fut également propriétaire d'une fonderie, les Oxford Iron Works, l'auteur offre un document essentiel sur la vie des travailleurs noirs qui y étaient employés en 1812 et 1813. Il en fait ressortir les tactiques de Ross pour maintenir dans les relations de travail cet équilibre — très difficile à atteindre — entre la contrainte et la récompense. En gros elles sont fondées sur la confiance réciproque, les nombreux encouragements mais primordialement sur le rôle vital de la famille comme élément de formation, de discipline et de stabilité.

Dew démontre comment le choix de Ross est dicté par la grande compétence professionnelle qui caractérise les Noirs. Ayant fait état des principaux métiers dans lesquels ils se distinguent, il rapporte en outre, les tâches dévolues aux femmes et aux enfants de même que les allocations reçues. Pour illustrer l'attitude de Ross visant à encourager ses employés, il cite l'exemple de ce jeune potier à qui il est permis d'apposer son propre sceau sur les pièces qu'il fabrique. La somme de ces compensations constitue donc un des facteurs positifs du fonctionnement de l'esclavage dans l'industrie du fer au sud des États-Unis après la Révolution.

À cause de leur apport original, les études de Bruce et de Dew méritent la considération de ceux qui sont préoccupés surtout par l'histoire sociale des travailleurs. Elles permettent de comparer les différents niveaux du marché du travail dans un système capitaliste, féodal ou esclavagiste et les répercussions de chacun d'eux sur la personne même de l'ouvrier, qu'il soit Blanc ou Noir, esclave ou propriété d'une compagnie, ses motivations, ses besoins, ses aspirations et son présumé affranchissement dans l'industrie moderne.

L'ensemble des oeuvres traitant de la sidérurgie américaine depuis ses débuts jusqu'au milieu du 19e siècle, démontrent d'une part, sa diversité et d'autre part, l'adaptation des méthodes européennes à l'environnement nord-américain. Il est intéressant de constater, par exemple, l'influence de l'Angleterre dans les méthodes utilisées et surtout dans les préoccupations scientifiques de ceux qui ont mis sur pied ces établissements. Parfois les expériences et découvertes britanniques s'y trouvaient appliquées presque simultanément et jusqu'à un certain point on y a vu une concurrence probable dans les innovations technologiques.

Parmi les sources consultées, on remarque une constante dans la démarche des auteurs qui ont voulu représenter ce phénomène. Pratiquement tous se sont appuyés sur des données scientifiques et tous ont suivi, à peu d'écarts près, consciemment ou non, la grille établie par Bining, même si cette dernière ne concerne qu'une seule région. On peut donc en déduire que ses critères étaient valables.

Chacun de ces essayistes a tout de même réussi à dégager un aspect particulier sans trop l'extraire du contexte économique, politique, social ou technologique. Comme ils demeurent assez discrets sur les raisons qui ont amené la réalisation de telles oeuvres on peut en conclure à une contribution importante sur le plan académique.

Conclusion

Les Forges du Saint-Maurice, c'est une entreprise qui a duré 150 ans et c'est aussi une communauté industrielle. À ce double titre elle mérite qu'on s'y arrête d'abord pour résumer les écrits qu'elle a suscités. Nous avons cru bon de l'insérer en tout premier lieu dans un contexte régional, celui de la Mauricie car il nous est apparu essentiel de recueillir quantité d'informations et d'opinions sur ce territoire, son environnement naturel, industriel et humain afin de pouvoir cerner avec justesse le lieu de la naissance de cette industrie. Cette analyse nous a permis en second lieu de dégager plus aisément les thèmes soulevés dans les différents essais qui ont abordé directement le sujet des Forges tant sur le plan des événements marquants de leur évolution, qu'aux points de vue politique, économique, social et culturel. Enfin, dans un troisième temps nous avons souhaité leur intégration dans une perspective internationale par un recensement de quelques oeuvres traitant de l'industrie du fer en France, en Grande-Bretagne et aux États-Unis. Ainsi il nous a été possible de mesurer l'influence qu'ont exercée sur les Forges les grandes entreprises et les petits foyers industriels, surtout dans le domaine des découvertes scientifiques.

La majorité des études consacrées aux Forges du Saint-Maurice ne détonnent pas dans la tradition historique canadienne. Pourtant on songe à celles qui devraient être produites afin de leur rendre pleinement justice. Par définition, l'histoire traditionnelle est circonscrite dans la relation de l'événementiel et du politique. Et rejeter cette démarche initiale équivaudrait à nier tout le poids d'une infra-structure. Toutefois, dans son essence, l'histoire n'est-elle pas aussi l'étude des changements? Et quoi de plus significatif que l'histoire d'une industrie pour mesurer l'évolution d'un pays et d'une société à une période donnée? Aujourd'hui l'histoire tend vers de nouvelles approches, de nouveaux objets, elle acquiert une dimension scientifique. Aujourd'hui l'histoire s'allie à des disciplines variées relevant des sciences pures ou appliquées et des sciences de l'Homme. Aujourd'hui, l'historien soucieux de rechercher la vérité dans l'étude des Forges du Saint-Maurice doit tenir compte de cette pluridisciplinarité.

Sa méthodologie même sera orientée différemment. En plus de faire usage de documents écrits ou iconographiques provenant de dépôts d'archives ou de bibliothèques, il saura s'appuyer sur du matériel archéologique ou extrait d'enquêtes orales et devra éventuellement interpréter les données ainsi accumulées à l'aide d'un ordinateur. Par le fait même, une grande variété de thèmes deviennent disponibles qui promettent d'occuper les chercheurs aussi longtemps que l'industrie des Forges a persisté.

Considérant l'aspect territorial, on pourrait s'attarder à décrire le site original de l'entreprise, son expansion et ses modifications, le rôle capital joué par certains directeurs et propriétaires et ses conséquences sur la colonisation des terrains adjacents. À ceci se rattache aisément une étude sur l'environnement naturel fondée sur la géologie, la biologie, la botanique, la climatologie, etc... Par exemple, des questions surgissent relativement à la formation du relief et du réseau hydrographique, la composition des sols, de la végétation, le temps de pousse des arbres, l'histoire du climat. Et elles mènent directement à une approche écologique en ce qui a trait notamment au pourcentage des terres utilisées par l'industrie des Forges, ses justifications, et à l'épuisement des ressources minérales et forestières.

Ces éléments se trouvent étroitement liés à la présence des matières premières, leur exploitation, leur utilisation et les étapes de leur transformation. À cet effet, l'historien étaiera ses connaissances sur la métallurgie, la chimie et la physique. Et il sera guidé par la technologie dans sa description des structures propres à l'industrie du fer: machinerie et bâtiments, haut fourneau, forge, marteau, pouvoir hydraulique, leurs fonctions et opérations, tout en procédant par comparaison avec les nations où ont été élaborées les découvertes scientifiques. Complémentaire à l'aspect technologique, l'aspect structural relève de l'histoire de l'art — nommément de l'architecture — où il sera question des techniques de construction des bâtiments de service: moulins, boulangerie, écuries, etc... et des habitations des maîtres et des ouvriers.

Leur vie quotidienne retient l'attention. Elle relève de l'ethnologie et de la culture matérielle qui considèrent l'aménagement intérieur des maisons, le mobilier, les objets domestiques et les outils. L'histoire sociale se réserve l'aspect quantitatif et qualitatif de cette population. Pour ce faire, elle a recours à la démographie qui lui permet de déceler l'origine des habitants, leur nombre à diverses périodes et leurs migrations. Dans ce cadre s'insère facilement sa composition au point de vue professionnel: les principaux métiers exercés, spécialisés ou non, de même que le rôle des femmes et des enfants. Elle rappelle des notions de sociologie et d'anthropologie pour rendre compte des services offerts, des loisirs et des croyances, alors que des procédures juridiques — procès et ordonnances — l'informent sur la mentalité.

Il appartient à l'historien-économiste de décrire le fonctionnement de l'industrie au point de vue administratif et de ses opérations financières particulièrement en ce qui touche la réglementation des prix et des salaires, et la circulation de la monnaie. Il dégagera en outre l'état de la production et des marchés, du volume des exportations et des importations à différentes époques. Et il lui incombe d'analyser tout ce qui est inclus dans le domaine des relations de travail. Son rôle se résume donc à évaluer le potentiel de l'industrie dans une conjoncture nationale et internationale.

L'histoire des Forges du Saint-Maurice en tant que celle d'une agglomération industrielle reste donc à écrire. Détachée d'un monolithisme politico-événementiel, elle sera orientée vers le pluralisme d'une série d'études spécialisées. Comportant un intérêt académique indéniable, ces écrits, jaillis de l'effort massif d'une collectivité préoccupée de mettre en oeuvre une entreprise lui permettant de s'affirmer socialement et économiquement, devront retourner vers le grand public, afin de le sensibiliser tout simplement à son patrimoine culturel.

Notes

Chapitre 1

1. Stanislas Drapeau, *Études sur le développement de la colonisation*. Québec, Brousseau, 1863.

2. Stanislas Drapeau, *Le guide du colon français, belge, suisse*. Ottawa, 1887.

3. Thomas Boucher, *Mauricie d'autrefois*. Trois-Rivières, Éditions du Bien Public, 1952.

4. Raoul Blanchard, *Le centre du Canada français*. Montréal, Beauchemin, 1947.

5. Stanislas Drapeau, *Études sur le développement de la colonisation. op. cit.*

6. Armour Landry, *Bribes d'Histoire*. Trois-Rivières, Éditions du Bien Public, 1932.

7. Benjamin Sulte, « Le Bas Saint-Maurice », *Bulletin de la Société de géographie de Québec*, 5:1, janvier-février 1911, p. 37-39.

8. Albert Tessier, « De Jacques Buteaux à l'arpenteur Bouchette », *Les Cahiers des Dix*, no 4, 1939, p. 223-242; « Encore le Saint-Maurice », *Les Cahiers des Dix*, no 5, 1940, p. 145-175.

9. Canada. Département de l'Agriculture, *La vallée du Saint-Maurice — Informations pour les colons*. Ottawa, 1887.

10. Napoléon Caron, *Deux voyages sur le Saint-Maurice*. Trois-Rivières, Librairie du Sacré-Coeur, ca 1889.

11. Raoul Blanchard, *La Mauricie*. Trois-Rivières, Éditions du Bien Public, 1950, p. 29-46; cette étude est complétée par celle de Peter B. Clibbon, « Utilisation du sol et colonisation de la région des Laurentides centrales », *Geographical Bulletin*, no 21, 1964, p. 5-20.

12. Ernest Pageau, *Étude pédologique des comtés de Trois-Rivières et de Saint-Maurice*. Québec, ministère de l'Agriculture et de la Colonisation, 1967, Division des sols, Service de la recherche, Bulletin technique no 14; on peut joindre à cette étude celles de N.R. Gadd, *Géologie de la région de Bécancour*, Québec, (dépôts meubles). Ottawa, Commission géologique du Canada, 1960 et de Gérard Godbout, *Étude pédologique des comtés de Champlain et de Laviolette*. Québec, ministère de l'Agriculture et de la Colonisation, 1967.

13. Emmanuel Leroy-Ladurie, *Histoire du climat depuis l'an mil*. Paris, Flammarion.

Chapitre 2

1. Raoul Blanchard, *La Mauricie*. Trois-Rivières, Éditions du Bien Public, 1950.

2. Pierre Dupin, *Anciens chantiers du Saint-Maurice*. Trois-Rivières, Éditions du Bien Public, 1935.

3. Canada. Département de l'Agriculture, *op. cit.*

4. Thomas Boucher, *op. cit.*

5. Canada. Département de l'Agriculture, *op. cit.*

6. *Mines de savane*: dépôts ferrugineux localisés dans des endroits marécageux. On désigne sous le nom de *minerai des marais* le fer qui en est extrait.

7. E.Z. Massicotte, « Historique de la paroisse Saint-Maurice, Comté de Champlain », *Bulletin des recherches historiques*, 35:5, mai 1927, p. 292-304.

8. S.A. Dresser et T.C. Denis, *La géologie du Québec*. Québec, R. Paradis, 1941.

9. Jacques Béland, *Rapport géologique 97. Région de Shawini-gan: Comtés de Saint-Maurice, Champlain et Laviolette.* Québec, ministère des Richesses naturelles, 1961.

10. James Herbert Bartlett, *The Manufacture, Consumption and Production of Iron, Steel and Coal in the Dominion of Canada.* Montréal, Dawson Brothers, 1885.

11. Michel Bibaud, *La bibliothèque canadienne.* Montréal, Imprimerie J. Lane, 1825-1826, vol. 2.

12. E.Z. Massicotte, « Notes sur les forges de Ste-Geneviève de Batiscan » *Bulletin des recherches historiques*, 41:10, octobre 1935, p. 708-711.

13. Thomas Boucher, *op. cit.*

14. W.J.A. Donald, *The Canadian Iron and Steel Industry.* Boston, Houghton Mifflin, 1915.

15. J.E. Bellemare, « Les vieilles forges Saint-Maurice et les forges Radnor », *Bulletin des recherches historiques*, 24:9, septembre 1918, p. 257-270; on peut consulter également *Radnor 60 ans de progrès 1894-1954.* [s.l.], [s.é.], ca 1955.

16. *To Commemorate the Visit of the Members of the International Mining Convention of 1893 to Radnor Forges.* [s.l.], 1893. Une partie de ce texte est reproduite dans « The Story of Radnor Forges », *Iron and Steel of Canada*, 17:2, mars-avril 1934, p. 24-27.

17. David J. McDougall, « The final half-century of charcoal iron production in Quebec — 1861 to 1911 », *Canadian Mining Journal*, août 1971, p. 1-4.

18. Prosper Cloutier, *Histoire de la paroisse de Champlain.* Trois-Rivières, Éditions du Bien Public, 1917, vol. 2.

19. Marcel Pratte, *Un siècle d'histoire (Saint-Étienne-des-Grès)*, [s.l.], [s.é.], ca 1959.

20. Stanislas Drapeau, *Études sur le développement de la colonisation, op. cit.*

21. Thomas Boucher, *op. cit.*

22. *Idem.*

23. Napoléon Caron, *op. cit.*

24. Canada. Département de l'Agriculture, *op. cit.*

25. Benjamin Sulte, *Chronique trifluvienne.* Montréal, Compagnie d'Imprimerie canadienne, 1879.

26. Antoine Roy, « Recensement des habitants de la ville et du gouvernement des Trois-Rivières », *Rapport de l'archiviste de la province de Québec*, Québec, 1946-1947, p. 3-53.

27. Prosper Cloutier, *op. cit.*

28. Eddie Hamelin, *La paroisse de Champlain*. Trois-Rivières, Éditions du Bien Public, 1933.

29. Thomas Boucher, *op. cit.*

30. Albert Tessier, « La cité trifluvienne vue par M. Smith et Miss Fenton (1892-1894) », *Les Cahiers des Dix*, no 18, 1953, p. 113-127.

Chapitre 3

1. Benjamin Sulte, *Les forges Saint-Maurice*. Montréal, G. Ducharme, 1920, Mélanges historiques, vol. 6.

2. Albert Tessier, *Les forges Saint-Maurice, 1729-1883*. Trois-Rivières, Éditions du Bien Public, 1952.

3. Albert Tessier, « Minéraux de basse étoffe », *Les Cahiers des Dix*, no 11, Montréal, 1946, p. 119-140; « Débuts pénibles de l'industrie lourde au Canada », *Les Cahiers des Dix*, no 12, Montréal, 1947, p. 53-73; « Le roi s'en mêle », *Les Cahiers des Dix*, no 13, Montréal, 1948, p. 63-83; « Les Anglais prennent les forges au sérieux », *Les Cahiers des Dix*, no 14, Montréal, 1949, p. 165-185; « Le dernier demi-siècle des forges (1833-1883) », *Les Cahiers des Dix*, no 15, Montréal, 1950, p. 163-183.

4. *Idem*, « Aux sources de l'industrie américaine », *Cahiers Reflets*, 1:3, janvier 1945, p. 5-35.

5. Albert Tessier, *Les forges Saint-Maurice, op. cit.*

6. Albert Tessier, « Aux sources de l'industrie américaine », *op. cit.*, p. 5.

7. J.E. Bellemare, « Les vieilles forges Saint-Maurice et les forges Radnor », *Bulletin des recherches historiques*, 24:9, septembre 1918, p. 257-269.

8. R.P. Lejeune, *Dictionnaire général de biographie, histoire, littérature, etc.*, tome II, Ottawa, Université d'Ottawa, 1931.

9. James Swank, *History of the Manufacture of Iron in All Ages and Particularly in USA From Colonial Times to 1891...*

Réimp. de l'éd. de 1892, New York, Burt Franklin, 1964.

10. Pierre-Georges Roy, *Les petites choses de notre histoire*, Lévis, [s.é.], 1928.

11. Valois de Valoisville, « Les forges de Saint-Maurice », *Bulletin des recherches historiques*, 15:10, octobre 1909, p. 318-319.

12. James H. Bartlett, *The Manufacture, Consumption and Production of Iron, Steel and Coal in the Dominion of Canada*. Montréal, Dawson Brothers, Publ. 1885.

13. B.F. Towsley, *Mine Finders. The History and Romance of Canadian Mineral Discoveries*. Toronto, Saturday Night Press, 1935.

14. William J.A. Donald, *op. cit.*

15. Geo. H. Macaulay, « The Iron Mine of the St. Maurice Territory », *British Canadian Review*, 1:2, janvier 1863, p. 43-52.

16. James H. Bartlett, *op. cit.*

17. Desmond Killikelly, « The Steel Industry of Canada », *Canadian Geographical Journal*, 16:5, mai 1938, p. 213-246.

18. Hervé Biron, « Les forges Saint-Maurice », *Perspectives*, 31 mars 1962, p. 10-12-30-31.

19. Michel Gaumond, « Les forges du Saint-Maurice », *Vie des Arts*, no 50, printemps 1968, p. 46-51. Michel Gaumond, *Les forges du Saint-Maurice*. Québec, Société historique de Québec, 1968.

20. Michel Bibaud, *op. cit.*

21. George M. Grant (dir.), *Picturesque Canada; The Country as it was and is*. Toronto, Belden Brothers, 1882, tome 1.

22. Sidney L. Irving, *An Adventure of Iron Men in a World of Iron; The Romance of the St. Maurice Forges*. Trois-Rivières, Académie DLS, 1934.

23. Yvon Thériault, *Trois-Rivières ville de reflet*. Trois-Rivières, Éditions du Bien Public, 1954.

24. Mémoire préparé par la Chambre de commerce, *Projet de reconstruction « Les Forges Saint-Maurice, 1729-1883 »*. Trois-Rivières, 1963.

25. Geo. H. Macaulay, *op. cit.*

26. Fred. C. Wurtele, « Historical record of the St. Maurice Forges; The oldest active blast furnace of the Continent of America », *Mémoires de la Société royale du Canada*, vol. 14, 1887, section

2, p. 77-89.

27. James H. Bartlett, *op. cit.*

28. Napoléon Caron, *op. cit.*

29. W.J.A. Donald, *op. cit.*

30. « The Forges of the St. Maurice », *Iron and Steel of Canada*, 15:11, novembre 1932, p. 133-136.

31. R.C. Rowe, « The St. Maurice Forges », *Canadian Geographical Journal*, 9:1, juillet 1934, p. 14-22.

Chapitre 4

1. Joseph-Noël Fauteux, *Essai sur l'industrie au Canada sous le Régime français*. Québec, Ls-A. Proulx, 1927, vol. 1.

2. Gérard Filteau, *La naissance d'une nation; Tableau du Canada en 1760*. Montréal, Éditions de l'ACF, 1937, vol. 2.

3. Cameron Nish, « La banqueroute de François-Étienne Cugnet », *Actualité économique*, 41:1, avril-juin 1965, p. 149-202; 41:2, juillet-septembre 1965, p. 347-378; 41:4, janvier-mars 1966, p. 762-810; 42:1, avril-juin 1966, p. 161-208; 42:2, juillet-septembre 1966, p. 391-422; 42:3, octobre-décembre 1966, p. 704-727; « François-Étienne Cugnet et les Forges de Saint-Maurice: un type d'entrepreneur et d'entreprise en Nouvelle-France », *Actualité économique*, 42:4, janvier-mars 1967, p. 884-897.

4. Cameron Nish, *François-Étienne Cugnet, entrepreneur et entreprises en Nouvelle-France*. Montréal, Fides, [1975].

5. « Bloomery »: petit four en maçonnerie dans lequel le fer est produit par réduction directe. La fonte est produite seulement par le haut fourneau.

6. Ramsay Traquair, *No 92 St. Peter Street, Quebec; A Quebec Merchant's House of the XVIIIth century*. Montréal, McGill University Publications, Series XIII, Art and Architecture, no 27, 1930.

7. À ce sujet, on signale que, dans le récit de son exploration en 1667, le maître de forges Hameau suggère l'établissement d'une forge sur la rivière Etchemin à une lieue de Québec... et non sur « la rivière et le chemin... », Cameron Nish, *op. cit.*, p. 39.

8. H.C. Pentland, « The development of a capitalistic labour market in Canada », *Canadian Journal of Economics and Political Science*, 25:4, novembre 1959, p. 450-461.

9. David Lee, « A short History of the St. Maurice Forges », *Miscellaneous Reports on Sites in Quebec*. Parks Canada, Manuscript report No 132, p. 97-120.

10. Maurice Filion, *La pensée et l'action coloniales de Maurepas vis-à-vis du Canada 1723-1749*. Montréal, Leméac, 1972, p. 301-328.

11. Filion s'appuie certes sur l'oeuvre de Fauteux. Mais il le cite mal. Voir à ce sujet une référence p. 304 attribuant à Fauteux la date du décès de Francheville au 30 septembre 1733... puis voir Fauteux, *op. cit.*, p. 64.

12. Marcel Trudel, *Le régime militaire dans le gouvernement des Trois-Rivières 1760-1764*. Trois-Rivières, Éditions du Bien Public, 1952; « Les forges Saint-Maurice sous le régime militaire, (1760-1764) », *Revue d'histoire de l'Amérique française*, 5:2, septembre 1951, p. 159-185; « Le gouvernement des Trois-Rivières sous le Régime militaire (1760-1764) », *Revue d'histoire de l'Amérique française*, 5:1, juin 1951, p. 69-98.

13. David J. McDougall, « The final half-century of charcoal iron production in Quebec — 1861 to 1911 », *Canadian Mining Journal*, août 1971, p. 1-4.

14. Marcel Pratte, *op. cit.*

15. Hormisdas Magnan, *Dictionnaire historique et géographique des paroisses, missions et municipalités de la province de Québec*. Arthabaska, Imprimerie d'Arthabaska, 1925.

16. Prosper Cloutier, *op. cit.*

17. E.Z. Massicotte, « Historique de la paroisse Saint-Maurice », *op. cit.*

18. Roy C. Dalton, *The Jesuit's Estates Question 1760-1888*. Toronto, University of Toronto Press, 1968.

19. Thomas Boucher, *op. cit.*; on peut voir également: *Saint-Boniface de Shawinigan 1859-1959*. Éditions Lacoursière, 1959.

20. J.B.A. Ferland, *Cours d'histoire du Canada*. Québec, Côté, 1865; Jean Hamelin, *Économie et société en Nouvelle-France*. Québec, PUL, 1960; N. Le Vasseur, « Mines de marais et les anciennes forges Radnor », *Bulletin de la Société de géogra-*

phie de Québec, 5:3, mai-juin 1911, p. 185-192; Paul-Émile Renaud, *Les origines économiques du Canada; L'oeuvre de la France*. Mamers, Gabriel Énault, 1928.

21. Joseph Obalski, *Industries minérales de la province de Québec*. [s.l.], [s.é.], janvier 1900.

22. Harry Miller, *Canada's Historic First Iron Castings*. Ottawa, ministère de l'Énergie, des Mines et des Ressources, 1968.

23. Fathi Habashi, « Chemistry and Metallurgy in New France », *Chemistry in Canada*, mai 1975, p. 25-27.

24. Léon Dufrost, « La navigation sur le Saint-Laurent, les forges de Saint-Maurice, les chutes de Shawinigan », *Almanach trifluvien*, Éd. Chronique de la vallée du Saint-Maurice, 1937, p. 59-64; N. Le Vasseur, « La construction des navires à Québec », *Bulletin de la Société de géographie de Québec*, 11:4, juillet-août 1917, p. 187-201; Jacques Mathieu, *La construction navale royale à Québec, 1739-1752*. Québec, Société historique de Québec, 1971.

25. Arthur Legge, *The Anglican Church in Three Rivers Quebec, 1768-1956*. [s.l.], [s.é.], 1956.

26. Michel Lessard et Huguette Marquis. *Encyclopédie des antiquités du Québec*. Montréal, Éditions de l'Homme, 1971; *Encyclopédie de la maison québécoise*. Montréal, Éditions de l'Homme, 1972.

27. Marcel Moussette, *Le chauffage domestique en Nouvelle-France*. Travail inédit no 75, Parcs Canada, avril 1971.

28. Robert-Lionel Séguin, « Le poêle en Nouvelle-France », *Les Cahiers des Dix*, no 33, 1968, p. 157-170.

Chapitre 5

1. *Dictionnaire biographique du Canada*, Québec, PUL, 1966-, vol. 2, « François Poulin de Francheville », « Ignace Gamelin »; vol. 3, « François-Étienne Cugnet », « Martel de Belleville », « Jacques Simonet d'Habergemont ».

2. *Ibid.*, vol. 3, « Pierre Poulin ».

3. *Ibid.*, vol. 2, « Louis-Frédéric Bricault de Valmur ».

4. *Ibid.*, vol. 3, « Thérèse de Couagne ».

5. Pierre-Georges Roy, *La Famille Taschereau*. Lévis, [s.é.],

1901; « Les Trésoriers de la Marine à Québec », *Bulletin des recherches historiques*, 35:10, octobre 1927, p. 636-637; voir également *Dictionnaire biographique du Canada, op. cit.*, vol. 3, « Thomas-Jacques Taschereau ».

6. Pierre-Georges Roy, « Conseillers au Conseil souverain de la Nouvelle-France », *Mémoires de la Société royale du Canada*, 3e série, vol. 9, 1915, section 1, p. 173-188; *idem.*, « Le Sieur Guillaume Estèbe », *Bulletin des recherches historiques*, 52:7, juillet 1946, p. 195-207.

7. *Idem.*, « L'Honorable René-Ovide Hertel de Rouville », *Bulletin des recherches historiques*, 12:5, mai 1906, p. 129-141.

8. *Dictionnaire biographique du Canada, op. cit.*, vol. 3, « Jean-Eustache Lanouillier de Boisclerc ».

9. *Ibid.*, « Gaspard-Joseph Chaussegros de Léry ».

10. *Ibid.*, « Charles de Beauharnois de la Boische ».

11. Gérard Malchelosse, « Zachary et George-Henri Macaulay », *Bulletin des recherches historiques*, 52:9, septembre 1946, p. 271-275.

12. A. Latt, « Un Vaudois gouverneur du Canada, Sir Frédéric Haldimand », *Revue historique vaudoise*, 41:4, juillet-août 1933, p. 193-225.

13. E.Z. Massicotte, « La famille Gugy », *Bulletin des recherches historiques*, 23:10, octobre 1917, p. 312-314.

14. William Stewart Wallace, *The Macmillan Dictionary of Canadian Biography*. London, Macmillan, 1963.

15. Francis J. Audet et Juge Fabre Surveyer, *Les députés de Saint-Maurice et de Buckinghamshire (1792 à 1808)*. Trois-Rivières, 1934, p. 26-34, p. 37-40; *Les députés des Trois-Rivières, 1792-1808)*. Trois-Rivières, Éditions du Bien Public, 1933, p. 7-14.

16. Benjamin Sulte, « Sainte-Geneviève de Jacques Cartier », *Bulletin des recherches historiques*, 4:11, novembre 1898, p. 345-346.

17. A.L. Young, *The Reverend John Stuart D.D. V.E.L. of Kingston, U.C. and his Family. A Genealogical Study*. Kingston, Whig Press, 1920.

18. *Dictionnaire biographique du Canada*, vol. 2, 1701-1740 et vol. 3, 1741-1770, Québec, PUL, 1967-.

19. Émile Demaizière, « Les colons et émigrants bourguignons au Canada », *Rapport de l'archiviste de la province de Québec,*

vol. 4, p. 394-399.

20. M. Gaucher, M. Delafosse et G. Debien, « Les engagés pour le Canada au XVIIIe siècle », *Revue d'histoire de l'Amérique française*, 13:2, septembre 1959, p. 247-261; 13:3, décembre 1959, p. 402-421; 13:4, mars 1960, p. 550-561; 14:1, juin 1960, p. 87-108; 14:2, septembre 1960, p. 246-258; 14:3, décembre 1960; p. 430-440; 14:4, mars 1961, p. 583-602.

21. Napoléon Caron, *op. cit.*

22. J.E. Bellemare, « Les vieilles forges Saint-Maurice et les forges Radnor », *Bulletin des recherches historiques*, 24:9, septembre 1918, p. 257-269.

23. Odoric-Marie Jouve, *Les Franciscains et le Canada*. Paris, Procure des missions franciscaines, 1934.

24. Napoléon Caron, *op. cit.*

25. Thomas Boucher, *op. cit.*

26. Dollard Dubé, et autres, *Contes et légendes des vieilles forges*. Trois-Rivières, Éditions du Bien Public, 1954; voir aussi « Les légendes des Forges », *Almanach trifluvien*, [s.l.], Éditions Chronique de la vallée du Saint-Maurice, 1937.

27. Les *marteaux*, ou *martinets*, sont formés d'une masse de fonte, emmanchée au bout d'une poutre; celle-ci est encadrée par deux montants verticaux, auxquels elle est fixée par des tourillons qui lui permettent de basculer. Elle est actionnée par un arbre à cames horizontal tournant sous l'impulsion d'une roue à aubes laquelle est mue par un courant d'eau.

28. Moisette Olier, *Étincelles*. Trois-Rivières, Le Nouvelliste, 1936.

Chapitre 6

1. Jacques Levainville, *L'industrie du fer en France*. Paris, Armand Colin, 1922.

2. *Four catalan*: bas fourneau muni de trompes dans lequel on obtient directement le fer à partir du minerai sans passer par l'intermédiaire de la fonte.

3. *Forge volante*: foyer de forge qui peut être transporté sur un chariot.

4. *Affinage*: opération dans laquelle on donne la première prépa-

ration au fer de gueuse pour le purifier de son laitier, rappro-
cher les parties du fer et les mettre en état d'être forgées. Ce
procédé se déroule dans un atelier de grosses forges que l'on
nomme *affinerie*.

5. Bertrand Gille, *Les origines de la grande industrie du fer en
   France*. Paris, Domat & Montchrestien, 1947.

6. *Laminoir*: machine composée de deux cylindres d'acier qui
   tournent en sens contraire, et qui réduisent à une épaisseur
   précise la pièce de métal qu'on y fait passer. Cette opération est
   appelée *laminage*.

Chapitre 7

1. Thomas Ashton, *The Industrial Revolution, 1760-1830*.
   Réimp. et rév., New York, Oxford University Press, 1964.

2. Thomas Ashton, *Iron and Steel in the Industrial Revolution*.
   Manchester, The University Press, 1924.

3. *Puddling*: ancien procédé de décarburation de la fonte liquide
   par brassage sous l'influence d'oxydes ou de scories.

4. Arthur Raistrick, *Dynasty of Iron Founders. The Darbys of
   Coalbrookdale*. Newton Abbot, David & Charles, 1970.

5. Barrie Trinder, *The Darbys of Coalbrookdale*. Chichester, Sussex, Phillimore & Co. Ltd., 1974.

6. *Four à réverbération*: ce type de four commença d'être expéri-
   menté en Angleterre au 18e siècle. Dans ce fourneau le fer ne
   se trouvait pas en contact direct avec le charbon de bois qui
   était généralement utilisé comme combustible.

7. D. Morgan Rees, *Mines, Mills and Furnaces*. Londres, Her
   Majesty's Stationary Office, 1969.

Chapitre 8

1. Arthur C. Bining, *Pennsylvania Iron Manufacture in the Eighteenth Century*. 2e éd., Harrisburg, Pa., Pennsylvania Historical and Museum Commission, 1973.

2. « *Stückofen* »: type de four inventé en Allemagne au début du
   18e siècle. Considéré comme une transition entre le four catalan et le haut fourneau moderne, surtout à cause de ses dimen-

sions plus imposantes, il permettait l'extraction du fer forgeable directement du minerai.

3. E.N. Hartley, *Ironworks on the Saugus*. Norman University of Oklahoma Press, 1957.

4. *Chaufferie*: deuxième cheminée, située à côté de celle de l'affinerie. Elle est utilisée seulement pour réchauffer le fer en cours de martelage dans l'opération d'affinage.

5. Joseph E. Walker, *Hopewell Village. The Dynamics of a Nineteenth century Iron-making Community*. Philadelphia, University of Philadelphia Press, 1974.

6. *Fer en gueuse*: gros lingot de fer fondu de figure triangulaire tel qu'il sort des grands fourneaux sans avoir reçu aucune préparation. Ce type de fer est impur, cassant et ne peut être forgé.

7. James D. Norris, *Frontier Iron. The Maramec Iron Works, 1826-1876*. Madison, The State Historical Society of Wisconsin, 1964.

8. *Tuyères*: c'est une sorte de conduit métallique épais en forme d'entonnoir se rétrécissant vers l'intérieur du haut fourneau ou de la forge et qui sert à y conduire le vent du soufflet.

9. Kathleen Bruce, *Virginia Iron Manufacture in the Slave Era*. Réimp. de l'éd. de 1931, New York, Augustus M. Kelley, 1968.

10. Charles B. Dew, « David Ross and the Oxford Iron Works: a study of industrial slavery in the early 19th century south », *The William and Mary Quarterly*, Third series, 31:2, avril 1974, p. 189-224.

Bibliographie

Allaire, J.B.A. *Dictionnaire biographique du clergé canadien-français*, Montréal, Imprimerie de l'École catholique des sourds-muets, 1916.

American Catholic Historical Researches. « Pelissier, Director of the Iron works at Three Rivers, Canada, to the Continental congress, advising measures for the Capture of Quebec and telling that some of the priests had prayed that God would exterminate the American troops coming to Canada », avril 1907, p. 144-149, Pittsburgh.

Ashton, Thomas. *Iron and Steel in the Industrial Revolution*, Manchester, The University Press, 1924.

Ashton, Thomas. *The industrial revolution, 1760-1830*, Réimp. et rév. New York, Oxford University Press, 1964.

Bartlett, James H. *The Manufacture, Consumption and Production of Iron, Steel, and Coal in the Dominion of Canada's. With some notes on the Manufacture of Iron, and on the Iron trade in other Countries*, Montréal, Dawson Brothers, 1885.

Bédard, Avila. « Forestry in Quebec, Past, Present, Future », *Canadian Geographical Journal*, 57:2, août 1958, p. 36-49, Ottawa.

Béland, Jacques. *Rapport géologique 97. Région de Shawinigan: Comtés de Saint-Maurice, Champlain et Laviolette*, Québec, ministère des Richesses naturelles, 1961.

Bellemare, J.E. « Les vieilles forges Saint-Maurice et les forges Radnor », *Bulletin des recherches historiques*, 24:9, septembre 1918, p. 257-269, Lévis.

Bernard, Matthieu A. « L'esclavage au Canada », *Bulletin des recherches historiques*, 6:4, avril 1900, p. 119-121, Lévis.

Bining, Arthur Cecil. *British Regulations on the Colonial Iron Industry*, Philadelphia, University of Pennsylvania Press, 1933.

Bining, Arthur Cecil. *Pennsylvania Iron Manufacture in the Eighteenth Century*, 2e éd., Harrisburg, Pa., Pennsylvania Historical and Museum Commission, 1973.

Biron, Hervé. « Les forges Saint-Maurice », *Perspectives*, 31 mars 1962, p. 10-31, Montréal.

Blanchard, Raoul. *La Mauricie*, Trois-Rivières, Éditions du Bien Public, 1950, Coll. L'histoire régionale.

Blanchard, Raoul. *Le centre du Canada français*, Montréal, Beauchemin, 1947.

Boucher, Thomas. *Mauricie d'autrefois*, Trois-Rivières, Éditions du Bien Public, 1952, Coll. L'histoire régionale.

Boyer, Raymond. *Les crimes et les châtiments au Canada français du XVIIe au XXe siècle*, Montréal, Cercle du Livre de France, 1966.

Breton, P.E. *Cap-de-la-Madeleine Cité Mystique de Marie*, [s.l.], [s.é.], 1937.

Brouillette, Benoît. *Le développement industriel de la vallée du Saint-Maurice*, Trois-Rivières, Éditions du Bien Public, 1932, Coll. Pages trifluviennes.

Brown, J.J. *Ideas in Exile*, Toronto, McClelland and Stewart, 1967.

Bruce, Kathleen. *Virginia Iron Manufacture in the Slave Era*, Réimp. de l'éd. de 1931, New York, Augustus M. Kelley, 1968.

Bulletin de la Société de géographie de Québec. « Les loyalistes à Machiche », 9:3, mai et juin 1915, p. 180-181, Québec.

Bulletin des recherches historiques. « La famille Chaussegros de Léry », 40:10, octobre 1934, p. 577-614, Lévis.

Bulletin des recherches historiques. « La famille Martel de Magesse », 40:12, décembre 1934, p. 705-729, Lévis.

Canada. Département de l'Agriculture. *La vallée du Saint-Maurice; informations pour les colons*, Ottawa, 1887.

Caron, Ivanhoe. « Inventaire de la correspondance de Mgr Jean-François Hubert et Charles-François Bailly de Messein », *Rapport de l'archiviste de la province de Québec pour 1930-1931*, vol. 11, p. 199-301.

Caron, Ivanhoe. « Le chemin de la rive nord du Saint-Laurent; Québec-Montréal », *Bulletin des recherches historiques*, 31:1, janvier 1925, p. 286-290, Lévis.

Caron, Napoléon. *Deux voyages sur le Saint-Maurice*, Trois-Rivières, P.V. Ayotte, libraire-éditeur, ca 1889.

Caron, Napoléon. « Les Gugy au Canada », *Bulletin des recherches historiques*, 6:3, mars 1900, p. 89-91, Lévis.

De Carufel, D.O.S. *Notes sur la paroisse de Notre-Dame du Mont-Carmel comté de Champlain, P.Q.*, Trois-Rivières, Ed. S. De Carufel, 1907.

Chapais, Thomas. *Jean Talon intendant de la Nouvelle-France (1665-1672)*, Québec, S.-A. Demers, 1904.

La Cité des Trois-Rivières, P.Q., Canada. [s.l.], [s.é.], 1910.

Clibbon, Peter B. « Utilisation du sol et colonisation de la région des Laurentides centrales », *Geographical Bulletin*, no 21, 1964, p. 5-20, Ottawa.

Clibbon, Peter B. et Jacques Gagnon. « L'évolution récente de l'utilisation du sol sur la rive nord du Saint-Laurent entre Québec et Montréal », *Cahiers de Géographie de Québec*, 10:19, avril 1966, p. 55-60, Québec.

Cloutier, Prosper. *Histoire de la paroisse de Champlain*, Trois-Rivières, Imprimerie Le Bien Public, 1915, 2 vol.

Creighton, Donald G. *The Empire of the St. Lawrence*, Toronto, Macmillan of Canada, 1956.

Dalton, Roy. C. *The Jesuits' Estates Question 1760-1888*, Toronto, University of Toronto Press, 1968.

Debien, G. « Engagés pour le Canada au XVIIe siècle vus de La Rochelle », *Revue d'histoire de l'Amérique française*, 6:2, septembre 1952, p. 177-233, Montréal.

Demaizière, Émile. « Les colons et émigrants bourguignons au Canada », *Rapport de l'archiviste de la province de Québec pour 1923-1924*, vol. 4, p. 294-399, Québec.

Denison, Merrill. *The Barley and Stream*, Toronto, McClelland and Stewart, 1955.

Denison, Merril. *Canada's First Bank. A History of the Bank of Montreal*, Toronto, McClelland and Stewart, 1965.

Desaulniers, F.-L. « Les députés de Saint-Maurice », *Bulletin des recherches historiques*, 5:9, septembre 1899, p. 283-285, Lévis.

Désilets, Auguste. *La Grand'Mère*, Trois-Rivières, Éditions du Bien Public, 1933, Coll. Pages trifluviennes.

Dew, Charles B. « David Ross and the Oxford Iron Works; A Study of Industrial Slavery in the Early Nineteenth-Century South », *The William and Mary Quarterly*, Third series, 31:2, avril 1974, p. 189-224, Williamsburg.

Dictionary of National Biography. London, University of London, 1921- , 22 vol.

Dictionnaire biographique du Canada. Québec, PUL, 1966- .

Donald, William J. *The Canadian Iron and Steel Industry*, Boston, Houghton Mifflin, 1915.

Douville, Raymond et J.D. Casanova. *La vie quotidienne en Nouvelle-France. Le Canada, de Champlain à Montcalm*, Paris, Hachette, 1964.

Drapeau, Stanislas. *Canada. Le guide du colon français, belge, suisse*, Ottawa, [s.é.], 1887.

Drapeau, Stanislas. *Études sur les développements de la colonisation du Bas-Canada depuis dix ans (1851-1861)*, Québec, Brousseau-Léger Typ., 1863.

Dresser, S.A. et T.C. Denis. *La géologie du Québec*, Québec, R. Paradis, Imp. du roi, 1941- .

Dubé, Dollard *et al. Contes et légendes des vieilles forges*, Trois-Rivières, Éditions du Bien Public, 1954, Coll. L'histoire régionale.

Dubé, Dollard *et al. Les vieilles forges il y a 60 ans*, Trois-Rivières, Éditions du Bien Public, 1933, Coll. Pages trifluviennes.

Dugré, Alexandre. *La Pointe-du-Lac*. Trois-Rivières, Éditions du Bien Public, 1934, Coll. Pages trifluviennes.

Dulieux, E. « Preliminary Report on some iron ore deposits in the Province of Quebec », *Quebec Report of Mining Operations*, 1909-1912.

Dupin, Pierre. *Anciens chantiers du Saint-Maurice*, Trois-Rivières, Éditions du Bien Public, 1935, Coll. Pages trifluviennes.

Dusablon, L.A. « Pelissier, the foundry man of Three Rivers, Canada Maker of ammunition for the americans attacking Quebec », *The American Catholic Historical Researches*, 3:3, juillet 1907, p. 193-196, Parkesbourg, Pa.

Eccles, W.J. « The History of New France according to Francis Parkman », *William and Mary Quarterly*, 3e série, 18:2, avril 1961, p. 163-175, Williamsburg.

Fauteux, Joseph-Noël. *Essai sur l'industrie au Canada sous le Régime français*, Québec, Ls-A. Proulx, 1927, 2 vol.

Ferland, J.B.A. *Cours d'histoire du Canada*, Québec, Augustin Côté,

1861-1865, 2 vol.

Filion, Maurice. *La pensée et l'action coloniales de Maurepas vis-à-vis du Canada 1729-1749*, Montréal, Leméac, 1972.

Filteau, Gérard. *La naissance d'une nation. Tableau du Canada en 1755*, Montréal, Éditions de l'ACF, 1937, 2 vol.

Fréchette, Louis. *Contes 1 — La Noël au Canada*, Montréal, Fides, 1974.

Frégault, Guy. *La civilisation de la Nouvelle-France, 1713-1744*, Montréal, Éditions Pascal, 1944.

Gadd, N.-R. *Géologie de la région de Bécancour, Québec, (dépôts meubles)*, Ottawa, Commission géologique du Canada, 1960.

Gaucher, M., M. Delafosse, et G. Debien. « Les engagés pour le Canada au XVIIIe siècle », *Revue d'histoire de l'Amérique française*, 13:2, septembre 1959, p. 247-261; 13:3, décembre 1959, p. 402-421; 13:4, mars 1960, p. 550-561; 14:1, juin 1960, p. 87-108; 14:2, septembre 1960, p. 246-258; 14:3, décembre 1960, p. 430-440; 14:4, mars 1961, p. 583-602, Montréal.

Gaumond, Michel. *Les forges de Saint-Maurice*, Québec, Société historique de Québec, 1968.

Gaumond, Michel. « Les forges du Saint-Maurice », *Vie des Arts*, no 50, printemps 1958, p. 46-51, Montréal.

Gille, Bertrand. *Les origines de la grande industrie métallurgique en France*, Paris, Éditions Domat Montchrestien, 1947.

Godbout, Gérard. *Étude pédologique des comtés de Champlain et de Laviolette*, Québec, ministère de l'Agriculture et de la colonisation, 1967.

Grant, George M., dir. *Picturesque Canada; The Country as it was and is*, Toronto, Belden Brothers, 1882-

Greening, W.E. « Trois-Rivières — Historic gateway to the St. Maurice », *Canadian Geographical Journal*, 49:6, décembre 1959, p. 204-211, Ottawa.

Habashi, Fathi. « Chemistry and Metallurgy in New France », *Chemistry in Canada*, mai 1975, p. 25-27, Ottawa.

Hamelin, Eddie. *La paroisse de Champlain*, Trois-Rivières, Éditions du Bien Public, 1933, Coll. Pages trifluviennes.

Hamelin, Jean. *Économie et société en Nouvelle-France*, Québec, PUL, 1960.

Harper, J. Russel. *Early Painters and Engravers in Canada*, Toronto, University of Toronto Press, ca 1970.

Hartley, E.N. *Ironworks on the Saugus*, Norman, University of Oklahoma Press, 1957.

Iron and Steel of Canada. « The Forges of the St. Maurice», 15:11, novembre 1932, p. 133-136, Gardenvale, Québec.

Iron and Steel of Canada. « The Story of Radnor Forges», 17:2, mars-avril 1934, p. 24-27, Gardenvale, Québec.

Irving, Sidney L. *An Adventure of Iron Men in a World of Iron; The Romance of the Saint-Maurice Forges*, Trois-Rivières, Académie DLS, 1934.

Jouve, Odoric-Marie, *Les Franciscains et le Canada, Aux Trois-Rivières*, Paris, Procure des missions franciscaines, 1934.

Killikelly, Desmond. « The Steel Industry of Canada», *Canadian Geographical Journal*, 16:5, mai 1938, p. 213-246, Ottawa.

Landry, Armour. *Bribes d'histoire*, Trois-Rivières, Éditions du Bien Public, 1932, Coll. Pages trifluviennes.

Lee, David. « A short History of the St. Maurice Forges», *Miscellaneous Reports on Sites in Quebec*, Parks Canada, Manuscript report No 132, p. 97-120, Ottawa.

Legge, Arthur E. *The Anglican Church in Three Rivers, Quebec, 1768-1956*, [s.l.], [s.é.], 1956.

Le Goff, Jacques et Pierre Nora. *Faire de l'Histoire*, Paris, Gallimard, 1974, 3 vol.

Lejeune, R.P.L. *Dictionnaire général de biographie, histoire, littérature, agriculture, commerce et industrie... du Canada*, Ottawa, Université d'Ottawa, 1931.

Leroy-Ladurie, Emmanuel. *Histoire du climat depuis l'an mil*, Paris, Flammarion.

Leroy-Ladurie, Emmanuel. « L'Histoire immobile », *Annales Économie Sociétés Civilisations*, 29:3, mai-juin 1974, p. 673-692, Paris.

Leroy-Ladurie, Emmanuel. *Le territoire de l'historien*, Paris, Gallimard, 1973.

Lessard, Michel et Huguette Marquis. *Encyclopédie de la maison québécoise*, Montréal, Éditions de l'Homme, 1972.

Lessard, Michel et Huguette Marquis. *Encyclopédie des antiquités du Québec*, Montréal, Éditions de l'Homme, 1971.

Levainville, Jacques. *L'industrie du fer en France*, Paris, Armand Colin, 1922.

Le Vasseur, N. « La construction des navires à Québec», *Bulletin de la Société de géographie de Québec*, 11:4, juillet-août 1917, p. 187-

201, Québec.

Le Vasseur, N. « Mines de marais et les anciennes forges Radnor », *Bulletin de la Société de géographie de Québec*, 5:3, mai et juin 1911, p. 185-192, Québec.

Macaulay, Geo. H. « The iron mines of the St. Maurice Territory: their discovery, the progress of their development and their present condition », *British Canadian Review*, 1:2, janvier 1863, p. 43-52; 1:3, février 1863, p. 95-103, Québec.

Magnan, Hormisdas. *Dictionnaire historique et géographique des paroisses, missions et municipalités de la province de Québec*, Arthabaska, Imprimerie d'Arthabaska, 1925.

Malchelosse, Gérard. « La famille Pommereau et ses alliances », *Les Cahiers des Dix*, no 29, 1964, p. 193-222, Montréal.

Malchelosse, Gérard. « Zachary et George-Henry Macaulay », *Bulletin des recherches historiques*, 52:9, septembre 1946, p. 271-275, Lévis.

Mandrou, Robert. *Louis XIV et son temps 1661-1715*, Paris, PUF, 1973, Coll. Peuples et civilisations.

Massicotte, E.Z. « Batiscan », *Bulletin des recherches historiques*, 35:1, janvier 1929, p. 6-10, Lévis.

Massicotte, E.Z. « La famille Gugy », *Bulletin des recherches historiques*, 23:10, octobre 1917, p. 312-314, Lévis.

Massicotte, E.Z. « Les forges de Sainte-Geneviève de Batiscan », *Bulletin des recherches historiques*, 41:9, septembre 1935, p. 564-567; 41:10, octobre 1935, p. 708-711, Lévis.

Massicotte, E.Z. « Historique de la paroisse de Saint-Maurice, Comté de Champlain », *Bulletin des recherches historiques*, 35:5, mai 1929, p. 292-305; 35:6, juin 1929, p. 336-347, Lévis.

Massicotte, E.Z. « Notes diverses sur le Cap-de-la-Madeleine », *Bulletin des recherches historiques*, 35:7, juillet 1929, p. 389-397, Lévis.

Massicotte, E.Z. *Sainte-Geneviève de Batiscan*, Trois-Rivières, Éditions du Bien Public, 1936, Coll. Pages trifluviennes.

Massicotte, E.Z. « L'usage des poêles sous le régime français », *Bulletin des recherches historiques*, 22:11, novembre 1916, p. 334-335, Lévis.

Mathieu, Jacques. *La construction navale royale à Québec 1739-1759*, Québec, Société historique de Québec, 1971, Cahiers d'histoire, no 23.

Mémoire préparé par la Chambre de commerce. *Projet de reconstruction « Les Forges Saint-Maurice 1729-1883 »*, Trois-Rivières,

1963.

Miller, Harry. *Canada's Historic First Iron Castings; A Contribution to Canadian History and Iron Technology*, Ottawa, L'Imprimeur de la Reine, 1968.

Morgan, Henry J. *Sketches of Celebrated Canadians and Persons connected with Canada, from the earliest period in the history of the province down to the present time*, Québec, Hunter, Rose & Co., 1862.

Moussette, Marcel. *Le chauffage domestique en Nouvelle-France*, Ottawa, Parcs Canada, 1971, Travail inédit, no 175.

McDougall, David J. « The final half-century of charcoal iron production in Quebec — 1861 to 1911 », *Canadian Mining Journal*, août 1971, p. 1-4, Don Mills, Ontario.

McGuire, B.J. « A river in harness », *Canadian Geographical Journal*, 30:5, mai 1950, p. 210-231, Ottawa.

Nish, Cameron. « La banqueroute de François-Étienne Cugnet », *Actualité économique*, 41:1, avril-juin 1965, p. 149-202; 41:2, juillet-septembre 1965, p. 347-378; 41:4, janvier-mars 1966, p. 762-810; 42:1, avril-juin 1966, p. 161-208, 42:2, juillet-septembre 1966, p. 391-422; 42:3, octobre-décembre 1966, p. 704-727, Montréal.

Nish, Cameron. « François-Étienne Cugnet et les forges de Saint-Maurice: un type d'entrepreneur et d'entreprise en Nouvelle-France », *Actualité économique*, 42:4, janvier-mars 1967, p. 884-897, Montréal.

Nish, Cameron. *François-Étienne Cugnet, entrepreneur et entreprises en Nouvelle-France*, Montréal, Fides, 1975.

Norris, James D. *Frontier Iron The Maramec Iron Works 1826-1876*, Madison, The State Historical Society of Wisconsin, 1964.

Obalski, Joseph. *Industries minérales de la province de Québec, Canada*, [s.l.], [s.é.], janvier 1900.

Olier, Moisette. *Au pays de l'énergie*, Trois-Rivières, Éditions du Bien Public, 1932, Coll. Pages trifluviennes.

Olier, Moisette. *Étincelles*, Trois-Rivières, Le Nouvelliste, 1936.

Pageau, Ernest. *Étude pédologique des comtés de Trois-Rivières et de Saint-Maurice*, Québec, ministère de l'Agriculture et de la Colonisation, 1967.

Pentland, H.C. « The development of a capitalistic labour market in Canada », *Canadian Journal of Economics and Political Science*, 25:4, novembre 1959, p. 450-461, Toronto.

Pratte, Marcel. *Un siècle d'Histoire (Saint-Étienne-des-Grès)*, [s.l.], [s.é.], ca 1959.

Radnor, 60 ans de progrès, 1894-1954, [s.l.], Les Breuvages Radnor, 1954.

Raistrick, Arthur. *Dynasty of Iron Founders, The Darbys and Coalbrookdale*, Newton Abbot, David & Charles, 1970.

Recherches sociographiques. « L'historiographie », 15:1, janvier-avril 1974, p. 9-112, Québec.

Rees, D.M. *Mines, Mills and Furnaces. An introduction to industrial archeology in Wales*, London, Her Majesty's Stationery Office, 1969.

Renaud, Paul-Émile. *Les origines économiques du Canada: l'oeuvre de la France*, Mamers, Gabriel Enault, 1928.

Rowe, R.C. « The St. Maurice Forges », *Canadian Geographical Journal*, 9:1, juillet 1934, p. 14-22, Ottawa.

Roy, Antoine. « Recensement des habitants de la ville et du gouvernement des Trois-Rivières », *Rapport de l'archiviste de la province de Québec pour 1946-1947*, p. 3-53, Québec.

Roy, Pierre-Georges. « Conseillers au conseil souverain de la Nouvelle-France », *Mémoires de la Société royale du Canada*, 3e série, vol. 9, 1915, section 1, p. 173-188.

Roy, Pierre-Georges. « L'Honorable René-Ovide Hertel de Rouville », *Bulletin des recherches historiques*, 12:5, mai 1906, p. 129-141, Lévis.

Roy, Pierre-Georges. « L'inventaire d'un seigneur canadien », *Bulletin des recherches historiques*, 47:11, novembre 1941, p. 321-323, Lévis.

Roy, Pierre-Georges. *La famille Taschereau*, Lévis, [s.é.], 1901.

Roy, Pierre-Georges. « Le Sieur Guillaume Estèbe », *Bulletin des recherches historiques*, 52:7, juillet 1946, p. 195-207, Lévis.

Roy, Pierre-Georges. *Les petites choses de notre histoire*, Lévis, [s.é.], 1928.

Roy, Pierre-Georges. « Les trésoriers de la Marine à Québec », *Bulletin des recherches historiques*, 35:10, octobre 1929, p. 636-637, Lévis.

Roy, Pierre-Georges. « Les trois frères Lanoullier », *Bulletin des recherches historiques*, 12:1, janvier 1906, p. 15-21, Lévis.

Séguin, Pierre-Lionel. « Le poêle en Nouvelle-France », *Les Cahiers des Dix*, no 33, 1968, p. 157-170, Montréal.

Sharp, Myron B. et William H. Thomas. *A Guide to The Old Stone Blast Furnace in Western Pennsylvania*, Pittsburgh, The Historical Society of Western Pennsylvania, 1966.

Smiles, Samuel. *Industrial Biography: Iron Workers and Tool Makers*, Réimp. de l'éd. de 1863, New York, Kelley, 1968.

Sulte, Benjamin. *Chronique trifluvienne*, Montréal, Compagnie d'Imprimerie canadienne, 1879.

Sulte, Benjamin. « Le Bas Saint-Maurice », *Bulletin de la Société de géographie de Québec*, 5:1, janvier-février 1911, p. 37-39, Québec.

Sulte, Benjamin. « Le petit poisson », *Bulletin de la Société de géographie de Québec*, 10:2, mars-avril 1916, p. 67-73, Québec.

Sulte, Benjamin. *Les forges Saint-Maurice*, Montréal, G. Ducharme, 1920, Mélanges historiques, vol. 6.

Surveyer, Fabre et Francis-J. Audet. *Les députés de Saint-Maurice et de Buckinghamshire (1792 à 1808)*, Trois-Rivières, Éditions du Bien Public, 1934, Coll. Pages trifluviennes.

Surveyer, Fabre et Francis-J. Audet. *Les députés des Trois-Rivières (1792 à 1808)*, Trois-Rivières, Éditions du Bien Public, 1933, Coll. Pages trifluviennes.

Swank, James M. *History of the Manufacture of Iron in All Ages and Particularly in the United States from Colonial Times to 1891...*, Réimp. de l'éd. de 1892, New York, Franklin, 1964.

Tessier, Albert. « Aux sources de l'industrie américaine: les Vieilles Forges », *Les Cahiers Reflets*, 1:3, janvier 1945, p. 5-35, Trois-Rivières.

Tessier, Albert. « De Jacques Buteux à l'arpenteur Bouchette », *Les Cahiers des Dix*, no 4, 1939, p. 223-242, Montréal.

Tessier, Albert. « Débuts pénibles de l'industrie lourde au Canada », *Les Cahiers des Dix*, no 12, 1947, p. 53-73, Montréal.

Tessier, Albert. « Encore le Saint-Maurice », *Les Cahiers des Dix*, no 5, 1940, p. 145-175, Montréal.

Tessier, Albert. « La cité trifluvienne vue par M. Smith et Miss Fenton (1892-1894) », *Les Cahiers des Dix*, no 18, 1953, p. 113-127, Montréal.

Tessier, Albert. « Le roi s'en mêle », *Les Cahiers des Dix*, no 13, 1948, p. 63-83, Montréal.

Tessier, Albert. « Les Anglais prennent les Forges au sérieux », *Les Cahiers des Dix*, no 14, 1949, p. 165-185, Montréal.

Tessier, Albert. *Les forges Saint-Maurice 1729-1883*, Trois-Rivières, Éditions du Bien Public, 1952, Coll. L'histoire régionale.

Tessier, Albert. « Les trifluviens s'échauffent... Le dernier demi-siècle des forges (1833-1883) », *Les Cahiers des Dix*, no 15, 1950, p.

163-183, Montréal.

Tessier, Albert. « Minéraux de basse étoffe », *Les Cahiers des Dix*, no 11, 1946, p. 120-140, Montréal.

Tessier, Albert. « Trois-Rivières », *Habitat*, 10:3-6, 1967, p. 42-45, Ottawa.

Tessier, Albert. « Trois-Rivières, 1884 », *Les Cahiers des Dix*, no 17, 1952, p. 153-168, Montréal.

Tessier, Albert. « Une campagne antitrustarde il y a un siècle », *Les Cahiers des Dix*, no 2, 1937, p. 199-206, Montréal.

Thériault, Yvon. « Inventaire sommaire des archives du Séminaire des Trois-Rivières », *Rapport de l'archiviste de la province de Québec pour 1961-1964*, tome 42, p. 71-134, Québec.

Thériault, Yvon. *Trois-Rivières incorporée 1857-1957*, [s.l.], [s.é.], 1958.

Thériault, Yvon. *Trois-Rivières ville de reflet*, Trois-Rivières, Éditions du Bien Public, 1954, Coll. L'histoire régionale.

Thomas, Earl. A. « Hopewell iron plantation », *The Highway Magazine* », août 1949, p. 171-176, Middletown, Ohio.

To Commemorate the Visit of the Members of the International Mining Convention of 1893 to Radnor Forges, [s.l.], 1893.

Townsley, B.F. *Mine Finders. The History and Romance of Canadian Mineral Discoveries*, Toronto, Saturday Night Press, [s.d.].

Traquair, Ramsay. *No 92 St. Peter Street, Quebec. A Quebec Merchant's House of the XVIIIth century*, Montréal, McGill University Publications, Series XIII (Art and Architecture), no 27, 1930.

Trinder, Barrie. *The Darbys of Coalbrookdale*, Chichester, Sussex, Phillimore & Co. Ltd., 1974.

Trois-Rivières. A Guide to the City of Laviolette, The Second Oldest Settlement in Canada, Whose Romantic History is Full of Interest for the Visitor, [s.l.], ca 1925.

Trudel, Marcel. « Le gouvernement des Trois-Rivières sous le régime militaire (1760-1764) », *Revue d'histoire de l'Amérique française*, 5:1, juin 1951, p. 69-98, Montréal.

Trudel, Marcel. *Le régime militaire dans le gouvernement des Trois-Rivières, 1760-1764*, Trois-Rivières, Éditions du Bien Public, 1952, Coll. L'histoire régionale.

Trudel, Marcel. « Les forges Saint-Maurice sous le régime militaire (1760-1764) », *Revue d'histoire de l'Amérique française*, 5:2, septembre 1951, p. 159-185, Montréal.

Les Ursulines des Trois-Rivières depuis leur établissement jusqu'à nos jours, Trois-Rivières, P.V. Ayotte, 1888-1898, 3 vol.

Valoisville, Valois de. « Les forges de Saint-Maurice », *Bulletin des recherches historiques*, 15:10, octobre 1909, p. 318-319, Lévis.

Walker, Joseph E. *Hopewell Village. The Dynamics of a Nineteenth Century Iron-Making Community*, Philadelphia, University of Pennsylvania Press, 1974.

Wallace, William S., dir. *The Macmillan Dictionnary of Canadian Biography*, 3e éd. rev. et augm., Toronto, Macmillan, 1963.

Wurtele, Fred C. « Historical Record of the St. Maurice Forges, The Oldest Active Blast-Furnace on the Continent of America », *Proceedings and Transactions of the Royal Society of Canada for the year 1886*, vol. 4, 1887, section II, p. 77-90, Montréal.

Bibliographie des travaux
de recherches historiques et archéologiques
effectués par Parcs Canada.

Barriault, Monique, *Rapport préliminaire sur l'identification des techniques de moulage utilisées aux Forges du Saint-Maurice. Étude faite à partir des déchets de moulage, accompagnée d'un lexique français-anglais des termes de fonderie.* Travail inédit no 330, (1978), Parcs Canada, Québec.

Barriault, Monique, *Le moulage au haut fourneau: les grandes périodes de moulage et les bâtiments correspondants.* Titre provisoire. À paraître, 1980.

Beaudet, Pierre, *Excavations to the South of the Blast Furnace at the Forges du Saint-Maurice, Quebec 1975: Vertical and Horizontal displacements.* Manuscript Report Number 209, (1976), Parks Canada, Ottawa.

Beaudet, Pierre, *Vestiges des bâtiments et ouvrages à la forge basse, Forges du Saint-Maurice.* Travail inédit no 315, (1979), Parcs Canada, Québec.

Beaudet, Pierre, *L'affinage aux Forges du Saint-Maurice.* Titre provisoire. À paraître, 1980.

Bédard, Michel, *La fontaine du diable.* (1976), Parcs Canada, Québec. Copie dactylographiée.

Bédard, Michel, *Localisation d'emplacements mentionnés dans les légendes des Forges du Saint-Maurice.* (1977), Parcs Canada, Québec. Copie dactylographiée.

Bédard, Michel, *Le contexte de la fermeture des Forges du Saint-Maurice, 1846-1883.* Titre provisoire. À paraître, 1980.

Bédard, Michel, *Le territoire des Forges du Saint-Maurice, 1863-1884.* Travail inédit no 220, (1977), Parcs Canada, Ottawa.

Bédard, Michel, *Les moulins à farine et à scie aux Forges du Saint-Maurice.* Travail inédit no 301, (1978), Parcs Canada, Québec.

Bédard, Michel, *Utilisation et commémoration du site des Forges du Saint-Maurice, 1883-1963.* (1979), Parcs Canada, Québec. Copie dactylographiée.

Bédard, Michel, André Bérubé, Claire Mousseau, Marcel Moussette et Pierre Nadon, *Le ruisseau des Forges du Saint-Maurice.* Travail inédit no 302, (1978), Parcs Canada, Québec.

Bélisle, Jean, *La Grande Maison des Forges du Saint-Maurice, témoin de l'intégration des fonctions, étude structurale.* Travail inédit no 272, (1977), Parcs Canada, Québec.

Bélisle, Jean, *La maçonnerie d'époque aux Trois-Rivières.* Travail inédit no 265, Parcs Canada, Québec.

Bélisle, Jean, *Le phénomène du transport des bâtiments aux Forges du Saint-Maurice.* Travail inédit no 265, (1977), Parcs Canada, Québec.

Bélisle, Jean, *Le domaine de l'habitation aux Forges du Saint-Maurice.* Travail inédit no 307, (1978), Parcs Canada, Québec.

Bérubé, André, *L'évolution des techniques sidérurgiques aux Forges du Saint-Maurice, 1: la préparation des matières premières.* Travail inédit no 305, (1978), Parcs Canada, Québec.

Bérubé, André, *L'évolution des techniques sidérurgiques aux Forges du Saint-Maurice, 2: la production de la fonte.* À paraître, 1980.

Bérubé, André, *L'évolution des techniques sidérurgiques aux Forges du Saint-Maurice.* Bulletin de recherches no 49, (1977), Parcs Canada, Ottawa.

Bérubé, André, *Rapport préliminaire sur l'évolution des techniques sidérurgiques aux Forges du Saint-Maurice, 1729-1883,* Travail inédit no 221, (1976), Parcs Canada, Québec.

Bérubé, André, et Richard Cox, *Analyse de l'iconographie du haut fourneau des Forges du Saint-Maurice.* (1978), Parcs Canada, Québec. Copie dactylographiée.

Bevan, Bruce, *A Magnetic Survey at Les Forges du Saint-Maurice.* Museum Applied Science Center for Archaeology, (October 1975), The University Museum, University of Pennsylvania. Copie dactylographiée.

Boissonnault, Réal, *La structure chronologique des Forges du Saint-Maurice des débuts à 1846.* (1980), Parcs Canada, Québec. Copie dactylographiée.

Casteran, Nicole, *Bibliographie préliminaire de l'environnement de la région des Forges du Saint-Maurice.* (1974), Parcs Canada, Ottawa. Copie dactylographiée.

Casteran, Nicole, *Répertoire préliminaire des produits des Forges du Saint-Maurice.* Travail inédit no 132, (1973), Parcs Canada, Ottawa.

Cloutier-Nadeau, Céline, *Les abords de la maison Francheville aux Forges du Saint-Maurice, stratégie de fouille.* (1978), Parcs Canada, Québec. Copie dactylographiée.

Cloutier, Johanne, *Répertoire des produits fabriqués aux Forges du Saint-Maurice,* (1980). Parcs Canada, Québec. Copie dactylographiée.

Courcy, Simon et Marcel Tardif, *Essai de chronologie appliquée au secteur domestique 25G7-G8.* (1976), Parcs Canada, Ottawa. Copie dactylographiée.

Courcy, Simon, *Étude préliminaire du matériel céramique provenant des Forges.* (1974), Parcs Canada, Ottawa. Copie dactylographiée.

Cox, Richard, *Les Forges du Saint-Maurice (le haut fourneau).* Bulletin de recherches no 51, (mars 1977), Parcs Canada, Ottawa.

Cox, Richard et Pierre Nadon, *Le haut fourneau.* Titre provisoire. À paraître, 1980.

Cox, Richard, *Les halles à charbon du haut fourneau.* Titre provisoire. À paraître, 1980.

Cox, Richard, *Maçonnerie de la salle des soufflets et emplacement des engrenages.* (1976), Parcs Canada, Québec. Copie dactylographiée.

Dorion, Jacques, *Le folklore oral des Forges du Saint-Maurice.* Travail inédit no 255, (1977), Parcs Canada, Québec.

Drouin, Pierre et Alain Rainville, *L'évolution de l'organisation spatiale du site des Forges du Saint-Maurice.* Titre provisoire, À paraître, 1980.

Drouin, Pierre et Alain Rainville, *Dossiers sur l'organisation spatiale du site des Forges du Saint-Maurice.* (1979), Parcs Canada, Québec. Copie dactylographiée.

Drouin, Pierre, *Un secteur d'habitation d'ouvriers (25G7-25G8) aux Forges du Saint-Maurice.* Travail inédit no 254, Parcs Canada, Ottawa.

Drouin, Pierre, Françoise Niellon et Frédéric Sée, *Les Forges du*

Saint-Maurice (25G): Rapport de fouille préliminaire. Travail inédit no 175, (1976), Parcs Canada, Ottawa.

Drouin, Pierre, *La maison des forgerons de la forge basse (structure 24.1).* Travail no 213, (1978), Parcs Canada, Québec.

Drouin, Pierre, *Bilan de la recherche achéologique à la grande maison des Forges du Saint-Maurice.* Bulletin de recherches. À paraître, 1980.

Drouin, Pierre, *Reconnaissance archéologique au nord des écuries des Forges du Saint-Maurice.* (1980), Parcs Canada, Québec. Copie dactylographiée.

Drouin, Pierre, *La grande maison: rapport des fouilles archéologiques.* Titre provisoire. À paraître, 1980.

Drouin, Pierre et Roxane Renaud, *Étude sur un corps de logis d'ouvriers du XIXe siècle.* Titre provisoire. À paraître, 1980.

Dubé, Françoise, *Les contenants de fonte aux Forges du Saint-Maurice.* Titre provisoire. À paraître, 1980.

Fortier, Marie-France, *La structuration sociale du village industriel des Forges du Saint-Maurice: étude quantitative et qualitative.* Travail inédit no 259, (1977), Parcs Canada, Québec.

Greer, Allan, *Le Territoire des Forges du Saint-Maurice, 1730-1862.* Travail inédit no 220, (1976), Parcs Canada, Ottawa.

Lapointe, Camille, *Étude d'un atelier de finition et d'assemblage de poêles et contenants de fonte aux Forges du Saint-Maurice.* (1979), Parcs Canada, Québec. Photocopie.

Larouche, Alayn, *Analyse des macrorestes végétaux d'une carotte prélevée dans la localité des Forges du Saint-Maurice et contenant un horizon tourbeux enfoui.* (1977), Université Laval, Québec. Copie dactylographiée.

Larouche, Alayn, *Histoire comparée de deux sites (25G3-25G7) des Forges du Saint-Maurice, telle que révélée par l'analyse des macrorestes.* (Mars 1977). Copie dactylographiée.

Larouche, Alayn, *Analyse des macrorestes végétaux aux Forges du Saint-Maurice: les Jardins potagers.* (Janvier 1979), Département de géographie, Université de Montréal. Copie dactylographiée.

Lee, David, *A short History of the St. Maurice Forges.* Manuscript Report Series no 132, (1965), Parks Canada, Ottawa.

McGain, Alison, *Fouilles archéologiques d'un bloc domestique aux Forges du Saint-Maurice en 1974 (25G51).* Travail inédit no 232, (1977), Parcs Canada, Ottawa.

McGain, Alison, *Travaux d'hiver aux Forges du Saint-Maurice, 1977.* Bulletin de recherches no 68, (décembre 1977), Parcs Canada, Ottawa.

McGain, Alison, *La maison du marteleur aux Forges du Saint-Maurice, rapport de fouille 1974-1975.* Travail inédit no 313, (1977), Parcs Canada, Québec.

Miville-Deschênes, François, *Répertoire de la quincaillerie d'architecture du haut fourneau.* Titre provisoire. À paraître, 1980.

Mousseau, Claire, *Bibliographie sélective de travaux imprimés sur la machinerie et l'équipement ancien.* (1977), Parcs Canada, Québec. Copie dactylographiée.

Mousseau, Claire, *Sondage et forage: évaluation d'un outil de recherche en archéologie.* (Avril 1978), Parcs Canada, Québec. Copie dactylographiée.

Mousseau, Claire, *Évolution fonctionnelle de la forge haute à travers la transformation des ouvrages.* (1979), Parcs Canada, Québec. Copie dactylographiée.

Moussette, Marcel, *Essais de typologie des poêles des Forges du Saint-Maurice.* Travail inédit no 332, (1978), Parcs Canada, Québec.

Moussette, Marcel, *L'histoire écologique des Forges du Saint-Maurice.* Travail inédit, no 333 (1978), Parcs Canada, Québec.

Nadon, Pierre, « Les Forges du Saint-Maurice ». *Les dossiers de l'archéologie,* no 27, (mars-avril 1978), p. 96-101, Paris.

Nadon, Pierre, *Recherches archéologiques aux Forges.* (avril 1975), Parcs Canada, Ottawa. Copie dactylographiée.

Nadon, Pierre, « La recherche archéologique aux Forges ». Bulletin de recherches no 44, (1977), Parcs Canada, Ottawa.

Nicol, Heather, *Faunal Analysis of Selected Contexts at les Forges du Saint-Maurice.* (October 1978), Zooarchaeological Identification Centre, Museum of Natural Science, Ottawa. Copie dactylographiée.

Nicol, Heather, *Faunal Analysis of Bones from la Grande Maison at St. Maurice Forges.* (1979), Zooarchaeological Identification Center, Museum of Natural Science, Ottawa. Copie dactylographiée.

Niellon, Françoise, *La maison du contremaître aux Forges du Saint-Maurice (25G20): Éléments d'architecture: synthèse préliminaire, Rapport préliminaire sur la fouille de 1974.* Travail inédit no 152, (juin 1975), Parcs Canada, Ottawa.

Rainville, Alain, *Les bâtiments de service aux Forges du Saint-Maurice.* Travail inédit no 301, (1978), Parcs Canada, Québec.

Saint-Pierre, Serge, *La technologie artisanale aux Forges du Saint-*

Maurice, 1729-1883. Bulletin de recherches no 48, (1977), Parcs Canada, Ottawa.

Saint-Pierre, Serge, *Les artisans du fer aux Forges du Saint-Maurice: aspect technologique*. Travail inédit no 307, (1977), Parcs Canada, Québec.

Saint-Pierre, Serge, *Les charretiers aux Forges du Saint-Maurice*. (1977), Parcs Canada, Québec. Copie dactylographiée.

Savard, Mario, *Logement d'ouvriers au XVIIIe siècle: étude du bâtiment 12.7*. Titre provisoire. À paraître, 1980.

Tremblay, Yves, *Étude de la maison dite du mouleur, secteur haut fourneau*. (1978), Parcs Canada, Québec. Copie dactylographiée.

Tremblay, Yves, *La vie matérielle des ouvriers dans le secteur du haut fourneau*. Titre provisoire. À paraître, 1980.

Unglik, Henry, *Examination of Cast Iron and Wrought Iron From les Forges du Saint-Maurice*. (March 1977), Parks Canada, Ottawa. Copie dactylographiée.

Vermette, Luce, *Monographies d'employés aux Forges du Saint-Maurice*. Travail inédit no 292, (1978), Parcs Canada, Ottawa.

Vermette, Luce, « *La vie domestique aux Forges du Saint-Maurice* ». Travail inédit no 274, (1977), Parcs Canada, Ottawa.

Villeneuve, Daniel, *Répertoire sur les produits des forges*. Titre provisoire. À paraître, 1980.

Table des matières

Avant-propos 9

Première partie
La région du Saint-Maurice

Chapitre 1
L'environnement physique 15

Chapitre 2
L'environnement
industriel et humain 25

Deuxième partie
La communauté industrielle
des Forges du Saint-Maurice

Chapitre 3
Vue d'ensemble 41

Chapitre 4
Le milieu industriel 67

Chapitre 5
Le milieu humain 83

Troisième partie
L'industrie du fer:
étude comparative

Chapitre 6
L'industrie du fer
en France..................................97

Chapitre 7
L'industrie du fer
en Grande-Bretagne 107

Chapitre 8
L'industrie du fer
aux États-Unis 117

Conclusion 137

Notes...................................141

Bibliographie 153

Mékinac est le mot indien pour désigner la tortue, jadis fort répandue dans la Haute-Mauricie. Denis Vaugeois, qui a fondé cette collection, avait choisi le nom en hommage aux Indiens qui ont accueilli les siens dans cette région au milieu du 19e siècle.

Déjà parus:

1   Yvan Lamonde,
     Guide d'histoire du Québec

2   René Hardy, Guy Trépanier et Jacques Belleau,
     La Mauricie et les Bois-Francs

3   Louis-P. Cormier,
     Jean-Baptiste Perrault, marchand-voyageur

4   Marcel Moussette,
     La pêche sur le Saint-Laurent

5   Paul-Louis Martin,
     Tolfrey, un aristocrate au Bas-Canada

Achevé d'imprimer le 5 septembre 1980
par les travailleurs des
ateliers Marquis Ltée, de Montmagny,
pour le compte des
Éditions du Boréal Express